Feng Shui

EL ARTE DE LA ARMONÍA

TIKAL

MFG COLLECTION, Añón Querol, Calligaris, Chueca, Cia Internacional, Gamammobel, Koo Internacional (Gerarld Kiernan), Mega Mobiliario, GARCÍA FEDERKEIL S.L.

Fotografía:
Global Edition - Proyectos de Comunicación, S.A. / UNOEDICIONES, ABLESTOCK.

Agradecimientos:
Ana Postigo, experta en Feng Shui

Feng Shui

EL ARTE DE LA ARMONÍA

TIKAL

Contenidos

Mi primer contacto con el Feng Shui fue, como pensamos que son a veces las cosas en la vida, por casualidad. Casi una década y media después, comprendo que lo que yo llamaba casualidad en aquellos años no deja de ser un cúmulo de circunstancias que concurren para que algo que tiene que darse se dé. Mi vecina francesa me parecía un poco extraña. Ella curaba a sus hijos con unas bolitas blancas, en lugar de llevarlos a su pediatra, que era lo que tenía que hacer. Lo llamaba homeopatía, algo que se me antojaba muy raro por aquel entonces. Siempre pensé que mi amiga iba varios pasos por delante, y yo solía escucharla con una mezcla de escepticismo y curiosidad. Ella puso en mis manos un libro en francés sobre Feng Shui. Estaba convencida de que su negocio familiar, muy próspero siempre, había caído en picado desde que le hicieron una reforma al local. Sinceramente, yo no daba crédito a lo que oía. Me estaba diciendo que los colores, las formas, los ambientes y los espacios tenían que ver con la buena marcha de su empresa. Mi parte incrédula de Santo Tomás, «ver para creer», tomó el mando y empezó a debatirse en duelo con mi parte más instintiva. Leí aquellos libros y ganó el lado intuitivo. Todo empezó a confabularse, hiciera lo que hiciera, siempre aparecía el Feng Shui en mi vida. Daba igual si abría una revista, leía un libro o escuchaba la radio; siempre aparecían estas dos palabras, que me perseguían y que cambiaron mi vida.

Llegaron algunos profesores y mi maestro Hwan. Hice un estudio de Feng Shui en mi propia casa y las cosas empezaron a moverse. Estudié Feng Shui, completando mi formación, con un interés y un entusiasmo impropios de alguien que solía dejar casi todo a medias. Por entonces no tenía trabajo y tardé varios meses en recuperarme del disgusto que me había supuesto perder mi empleo en una multinacional americana, entre papeles, ordenadores y cifras tan familiares para mí. Comprendí después que la vida me quería trabajando en otro lado, y se abrió la puerta de par en par. Aparecieron los primeros clientes de Feng Shui y éstos trajeron más. Como decía mi maestro, la energía se movilizó, ampliándose el campo de atracción. Yo, una mujer de mente provinciana para los negocios, bastante escéptica y sin ser china, era consultora de Feng Shui. Todos mis clientes, sin excepción, buscan el bienestar por encima de todo. Unos lo enfocan desde el punto de vista de mejorar la salud; otros, las relaciones, el dinero o el amor. Sea lo que sea aquello que quieren mejorar, el Feng Shui les ayuda armonizando aquellos espacios en donde pasan gran parte de su existencia. No estamos aislados de lo que nos rodea. Formamos parte del siempre cambiante universo. Una casa armónica nos llena de vitalidad, al igual que un espacio abarrotado o energéticamente desastroso nos cansa. La casa es un organismo vivo que vibra por y para nosotros. Hacer Feng Shui en las casas o en los negocios es como tocar finos hilos invisibles que hacen que las cosas se compongan y mejoren. Algunos llaman al Feng Shui la «acupuntura del espacio», y tiene su sentido. La ubicación de los enseres, los colores, las orientaciones, los materiales, las texturas y todo aquello que compone nuestro hábitat, nos hace sentir mucho mejor al ser tratado adecuadamente. El Feng Shui es una ciencia milenaria china, pero también es un arte. Todos aquellos que contactan con este arte pueden ver cómo cambian sus vidas, aportando una dosis de bienestar y prosperidad.

Tratar de explicar algo intangible como el Feng Shui no es tarea fácil. Lo tangible es experimentar sus buenos resultados. Espero que tanto este libro como el propio Feng Shui le ayuden a mejorar su existencia.

CAPÍTULO 1

Los **orígenes** del Feng Shui

El Feng Shui (viento y agua) es un arte y una ciencia milenaria que nació en China y que, hasta bien entrado el siglo pasado, influyó de manera decisiva en la cultura de este pueblo. A partir de la observación de la naturaleza, los sabios chinos descubrieron que existe una serie de corrientes energéticas que influyen de manera decisiva en nuestra salud física y mental. Controlar estas energías para que nos reporten beneficios y nos enseñen a respetar nuestro medio ambiente para vivir en armonía son los objetivos del Feng Shui.

vamos a aprender...

Un arte asiático que toma fuerza en la sociedad occidental

Antes de entrar de lleno a explicar de qué hablamos cuando nos referimos al Feng Shui es ineludible que nos detengamos en los orígenes de este arte asiático que en los últimos años se está abriendo paso con fuerza en la sociedad occidental.

El taoísmo, germen del Feng Shui

Tenemos que remontarnos a la China de hace varios miles de años para conocer el origen de este arte tradicional chino. Aunque se desconoce la fecha exacta de su aparición, los expertos coinciden en señalar al taoísmo como su punto de partida.

Una forma de vida

La escuela filosófica del taoísmo, fundada por Lao-Tsé en el siglo V a. de C., y el confucionismo constituyeron la base de la forma de vida del pueblo chino hasta bien entrado el pasado siglo.

[1] Una **vida** contemplativa

La vida retirada del mundo nos aproxima a la naturaleza.

FUE DURANTE EL IMPERIO DE LA DINASTÍA ZHOU CUANDO LAO-TSÉ DESARROLLÓ LA CORRIENTE TAOÍSTA. SU META FUE MOSTRAR AL INDIVIDUO LAS PAUTAS QUE DEBÍA SEGUIR PARA ALCANZAR UNA VIDA CONTEMPLATIVA, RETIRADO DEL MUNDO, CON EL FIN DE CONSEGUIR APROXIMARSE A LA NATURALEZA.

El Tao es el principio absoluto del cosmos, el orden cósmico y la naturaleza. Este principio, trasladado al ser humano, se interpreta como la necesidad de que éste abandone toda lucha y consiga liberarse del deseo, imponiéndose la quietud y el misticismo sobre las pasiones desbordadas. Sobre esta base se desarrolló en China el Feng Shui, que en castellano significa «viento y agua». Los primeros textos conocidos que constatan la existencia de esta corriente en el Imperio chino datan de los siglos III y IV a. de C. Pero tuvieron que transcurrir varios siglos y algunas dinastías para que el Feng Shui consiguiera enraizar plenamente en la cultura china.

Fue bajo el gobierno de los Tang, en el siglo VII, cuando se constató su influencia y vivió su etapa de máximo esplendor, comprendida entre los siglos VII y X. Algunos autores consideran que este desarrollo fue parejo al crecimiento urbanístico producido en las ciudades situadas a orillas del río Amarillo. Al igual que ocurrió con el Tigris, el Éufrates, el Nilo y el Indo, esta cuenca permitió el desarrollo de una de las grandes civilizaciones del mundo antiguo.

▶ El **Pa Kua** del cielo posterior

El análisis y estudio de los cambios cíclicos de la naturaleza es el objeto de estudio del Pa Kua del cielo posterior en la filosofía Feng Shui.

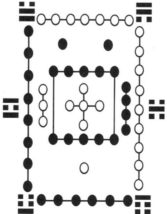

▶ El **Mapa** del río

Cuenta la leyenda que el jefe y chamán de una tribu, llamado Fu Xi, experto en interpretar los ciclos de la naturaleza, vio emerger de las aguas del río Amarillo un animal, mitad dragón mitad caballo, llamado Long Ma. Reprodujo lo que vio y bautizó su dibujo con el nombre de He Tu o Mapa del río. Fue así, a partir de esta figura, como se crearon los Pa Kua del cielo.

La figura tiene en el costado unos puntos que se corresponden con una serie numérica que va del 1 al 9. Con la visualización de las ocho figuras de Kua se dio el primer paso hacia el descubrimiento de la herramienta que se utiliza en Feng Shui para estudiar el espacio en tres dimensiones.

◗ El Tao es el principio absoluto del cosmos, el orden cósmico y la naturaleza.

◗ El cambio cíclico de la naturaleza es el objeto de estudio del Pa Kua del cielo posterior en el Feng Shui.

◗ Durante el imperio de la dinastía Zhou se desarrolló la corriente taoísta.

◗ Otro **nombre** clave

Zhou Wen Wang es otro nombre clave para explicar las raíces del Feng Shui, o al menos así ha pasado a la historia, que atribuye a este rey la autoría del «I Ching», libro con el que consiguió dar sentido a las figuras, hacia el 800 a. de C. Para lograrlo, dice otra leyenda que se sirvió de un libro titulado «Luo Shu».

Cuentan los textos antiguos que éste fue descubierto por un monarca de la dinastía Xia que, inmerso en los trabajos de encauzamiento del río que da nombre a esta obra, vio emerger de esas mismas aguas una tortuga blanca que portaba sobre el caparazón dicho libro.

[2] El **viento** y el agua

COMO YA HEMOS SEÑALADO, FENG SHUI SIGNIFICA «VIENTO Y AGUA». PARA SINTETIZAR SU ESENCIA NO HAY OTRO DOCUMENTO MÁS VÁLIDO QUE «EL LIBRO DE LOS MUERTOS», DEL MAESTRO GUO PU, QUIEN LO EXPLICÓ DE LA SIGUIENTE FORMA: «EL CHI (ENERGÍA) VIAJA Y SE DISPERSA CON EL VIENTO, PERO SE RETIENE EN PRESENCIA DEL AGUA».

El agua tiene el poder de retener nuestra energía o Chi cuando estamos ante su presencia.

El Feng Shui es un arte y, a la vez, una filosofía pues implica un modo de entender la vida. El principio fundamental que lo rige es la búsqueda de la unión perfecta entre el individuo y su hábitat en función de criterios topográficos y magnéticos. Actúa como una herramienta que ayuda a encontrar el camino que conduce hacia el equilibrio entre el sujeto y el medio que le rodea, a partir del conocimiento de las energías que fluyen a su alrededor. La energía está ahí, siempre presente en los espacios que habitamos, en la distribución de las habitaciones de nuestra casa, en el diseño y en la decoración. Lo único que tenemos que hacer es aprender a utilizar dicha energía para que nos ayude a mejorar aspectos tan importantes como la salud o el éxito personal.

De hecho, la nobleza china, a quien se le atribuyen proezas como salvar al pueblo de catástrofes y vencer en infinidad de guerras, asumió este uso de la energía como un tesoro. Tanto fue así que decidió mantener todos los conocimientos en torno a esta filosofía de manera secreta, únicamente accesibles para los círculos sociales más pudientes.

Cuidar la **naturaleza**

La clave reside en observar y cuidar nuestro entorno, porque éste es la vía principal por la que podremos iniciar el camino para conocernos a nosotros mismos. Es algo tan sencillo como entender que si la actitud que mantenemos hacia lo que nos rodea es negativa, si no tenemos ningún respeto por el medio ambiente y contribuimos a dañarlo, acabaremos por provocar en nuestro entorno una reacción dañina que se nos volverá en contra.

Lo mismo ocurre a la inversa. Si mantenemos una actitud positiva, respetamos, cuidamos y mimamos la naturaleza, podremos obtener de ella la energía y el sosiego que en tantas ocasiones buscamos en las cosas más efímeras e insustanciales, sin entender que, en realidad, éstos son más accesibles de lo que pensamos.

En este punto, el Feng Shui desempeña un papel crucial al desvelarse como un instrumento práctico para controlar los efectos que todos estos elementos son capaces de producir en nosotros.

El Feng Shui se convierte así en el medio para encontrar la forma de dejar de vivir de espaldas a nuestro entorno, para enseñarnos a cuidarlo y extraer de él la sabiduría necesaria que nos conduzca a una vida equilibrada.

Dos **conceptos**

Ahora bien, como toda disciplina, esta práctica se asienta sobre una serie de conceptos que lo estructuran y cuyo conocimiento resulta imprescindible para adentrarnos de lleno en el estudio de sus aplicaciones.

En primer lugar, encontramos el Chi. Este término define la vibración invisible que conecta a la Tierra y al hombre con el universo y que comprende las situaciones en las que predomina un estado positivo, vital y saludable. Su opuesto recibe el nombre de Sha Chi.

El **uso** del viento y del agua

El viento y el agua tienen un efecto sobre nuestra energía que ha sido utilizado a lo largo de los siglos, incluso para ganar batallas.

◗ El **Yin** y el **Yang**

En un primer estadio, el Chi Wu (energía primaria) es neutro y la grafía china lo representa como un óvulo sin fecundar, como un círculo vacío. En la siguiente fase, en el interior del círculo, aparece un punto en el centro que representa la fecundación y la capacidad del Chi Wu para desarrollarse por sí mismo en sentido positivo o negativo. Representa el comienzo del universo, el Big Bang. A partir de ahí surgen las dos energías básicas, el Yin y el Yang, que interactúan y que dividen el círculo en dos mitades, una negra y otra blanca. En la representación del

Tai Chi, ambas energías generan ciclos constantes de cambio en el que cada uno se convierte en el otro, mientras que el punto negro dentro de la parte blanca y el blanco dentro de la parte negra indican que el Yin existe dentro del Yang, y viceversa.

De la relación que se establece entre ambas energías surgen emanaciones de energía que dan vida a todos los seres. Cada individuo y cada objeto están formados por una combinación de ambos tipos de energía. El exceso de una de ellas puede influir de manera negativa en el desarrollo de nuestra vida cotidiana, de ahí la relevancia del Feng

Shui como medio para mantenerlas en equilibrio.

Exactamente, el Yin se refiere a todo lo femenino y negativo e incluye elementos como la oscuridad, la noche, la sombra, la Luna, la Tierra, lo blando, lo frío, lo descendente, lo movedizo, la materia, la tranquilidad, lo profundo, lo misterioso, el Norte, el sueño, el azul... El Yang, sin embargo, se define como la representación de lo masculino y todo aquello positivo, como la luz, el movimiento, el día, el sol, el fuego, el espíritu, lo extravertido, el Sur o la vigilia, entre otros factores.

Las **fuentes** de energía

EL YIN Y EL YANG REPRESENTAN LOS POLOS DE LA ENERGÍA, QUE EL FENG SHUI CLASIFICA EN TRES TIPOS: CHI TERRESTRE, CHI CELESTIAL Y CHI VITAL. A SU VEZ, ÉSTOS SE CORRESPONDEN CON LAS FUENTES PRINCIPALES DE ENERGÍA QUE ACTÚAN SOBRE NOSOTROS Y QUE PROCEDEN DIRECTAMENTE DEL MEDIO AMBIENTE.

El Chi celestial está formado por la energía cósmica de los planetas.

En primer lugar se encuentra el Chi terrenal que proviene del flujo de la Tierra. Está compuesto por la energía que desprende nuestro planeta a partir de las corrientes subterráneas, las fallas, las radiaciones terrestres o los entramados energéticos, como las líneas Hartmann o Curry.

Conforma el decorado en el que nos desenvolvemos a diario. Las montañas, los ríos, los edificios, las avenidas o calles así como los colores, sonidos y olores..., todo lo que nos rodea influye en nuestro estado de ánimo.

El Chi celestial es producto de la energía cósmica y se deriva del poder que tiene la energía solar y planetaria para afectar a la vida terrestre. Los cambios de estación, el estado de la Luna o los cometas son fenómenos que influyen sobre el devenir de la existencia del ser humano, motivo por el que siempre se ha interesado por ellos.

Por último, el Chi vital está relacionado con nuestro entorno inmediato y constituye una importante fuente de energía en tanto que es la única sobre la que tenemos capacidad de maniobrar.

▶ La **mejor** elección

La elección de un espacio, de las formas que lo componen, los colores o la orientación dependen de nosotros mismos. Todo ello redunda tanto en nuestra salud, como en nuestro estado emocional y puede ser modificado a través de una actitud positiva. El Feng Shui nos proporciona una serie de recomendaciones para que cada uno de nosotros seamos capaces de elegir, conscientemente, nuestro propio espacio, qué lugar y qué objetos nos van a aportar buen Chi.

[4] Los **cinco** elementos

UNA VEZ REVISADAS LAS PRINCIPALES FUENTES DE ENERGÍA QUE ACTÚAN SOBRE NUESTRA VIDA COTIDIANA, LLEGA EL MOMENTO DE RECALAR EN LA TEORÍA DE LOS CINCO ELEMENTOS O WU XING.

El elemento madera se caracteriza por tener una energía expansiva. Su animal simbólico es el dragón verde.

El Wu Xing es la piedra angular del Feng Shui, ya que permite retener en los espacios que habitamos la energía positiva y echar la negativa. Asimismo, se utiliza para describir los principales movimientos que sigue la energía cuando se desplaza a nuestro alrededor. Cada uno de los cinco elementos representa un estadio energético diferente, que es el resultado de la interacción entre el Yin y el Yang.

El fuego se asocia con el Chi ascendente; el metal se relaciona con el Chi que se dirige hacia el interior; el agua, con el Chi descendente; la madera, con el que se dirige hacia fuera y, finalmente, la tierra, con el Chi en rotación.

▶ El elemento **metal**

Se determina por tener una energía punzante, que se manifiesta en otoño. Sus colores son el blanco, el gris, el dorado, el plateado y todos aquellos que tengan un brillo metalizado. Se caracteriza por ser símbolo de elegancia y seriedad. Sus formas son circulares y ovaladas: las cúpulas, las bóvedas y los arcos. Las partes del cuerpo sobre las que ejerce influencia son los pulmones y el intestino grueso. Su orientación es la noroeste-oeste; sus números, el 6 y el 7, y su animal simbólico es el tigre blanco.

Está representado en metales como el hierro, el cromo, la plata y el aluminio; en objetos cotidianos como los móviles de metal, los cuencos de vidrio con monedas o los relojes con carillón; en piedras como el cuarzo, el diamante o las gemas; en esculturas de mármol o bronce; en flores secas o cuadros que representen el otoño; en el cemento y las superficies blancas.

▶ El elemento **tierra**

Su energía se desplaza de manera estable y se manifiesta a través del paso de una estación a otra. Sus colores son el marrón, el beis, el amarillo y los ocres; sus formas, las cuadradas y las planas; la parte del cuerpo sobre la que influye es el estómago; su orientación, la suroeste y la noreste; los números, el 2, el 5 y el 8; y los animales que lo encarnan son los reptiles y los roedores. Lo encontramos en los objetos fabricados con tierra, como los ladrillos o la cerámica; en las plantas vivas y las flores; en cuadros de bosques, praderas o imágenes en las que prevalecen los tonos ocres o amarillos; en la zonas desérticas, etc.

▶ El elemento **agua**

Tiene una energía liberadora que se presenta en invierno. Sus colores son el negro, el azul y el verde; sus formas, las ondulantes, irregulares y asimétricas; los órganos del cuerpo sobre los que actúa son el riñón y la vejiga; la orientación, el norte; su número, el 1 y su animal simbólico, la tortuga negra.

Se encuentra en las fuentes, los lagos, las piscinas y los acuarios; los espejos, la cristalería y las superficies reflectantes; y en los cuadros en los que predomina el azul o que representan figuras relacionadas con el agua.

Además, es el elemento portador de riqueza y prosperidad por excelencia.

▶ El elemento **madera**

Se caracteriza por tener una energía expansiva y de larga duración que se manifiesta en primavera. Sus colores son los verdes; sus formas, las rectangulares, representadas en los rascacielos o los pilares. Los órganos del cuerpo sobre los que actúa son el hígado y la vesícula biliar; su orientación es el este; sus números, el 3 y el 4 y su animal simbólico, el dragón verde.

▶ El elemento **fuego**

Su energía es caliente y radiante y se manifiesta en verano. Sus colores son el rojo y el violeta; sus formas, las pirámides, los conos y los triángulos; las partes del cuerpo a las que afecta son el corazón y el pericardio; su orientación, el sur; su número, el 9; y el animal que lo representa, el ave fénix de color rojo.

Lo podemos localizar en los inciensos, el televisor, los ordenadores, la iluminación; en los objetos que desprenden calor, como chimeneas o estufas; en la cocina; en los derivados del petróleo; en animales de sangre caliente como el caballo; en cuadros o imágenes en las que predomine el color rojo, la luz, etc.

▸ Las distintas formas que adquiere nuestro entorno son el objeto de estudio de la primera corriente de Feng Shui. Se trata de la Escuela de las Formas, que se rige por la doctrina del Pa Kua del cielo anterior. Además, analiza la luz, el color, los elementos y cualquier otra variable energética que actúe en el espacio.

[5] Los **ciclos** de la energía

LAS ENERGÍAS DE LOS CINCO ELEMENTOS SE RELACIONAN ENTRE SÍ MEDIANTE MODELOS CÍCLICOS. A TRAVÉS DEL PROCESO DE CREACIÓN, EL FUEGO SE TRANSFORMA EN ELEMENTOS DIFERENTES HASTA RECUPERAR DE NUEVO SU ESTADO ORIGINAL. MEDIANTE EL CICLO DE CONTROL, EL FUEGO TERMINA ACABANDO CONSIGO MISMO.

Las matemáticas y los puntos cardinales son la base de la Escuela de la Brújula.

Los modelos cíclicos son la vía por la que se relacionan los cinco elementos. En el proceso de Creación, el fuego produce tierra, la tierra crea el metal, éste contiene agua, el agua nutre la madera y la madera alimenta el fuego. En el ciclo de Control, el fuego funde el metal, el metal corta la madera, la madera consume la tierra, la tierra estanca el agua y el agua apaga el fuego. Existe otro ciclo llamado de Debilitamiento, en el que las energías interactúan entre sí pero sin llegar a anularse. Por ello, es el más recomendable para frenar la energía negativa sin causar desequilibrios. Estos conocimientos se ponen en práctica a través de dos corrientes del Feng Shui: la

Escuela de las Formas y la Escuela de la Brújula. La de las Formas fue la primera escuela de Feng Shui. Se basa en el Pa Kua del cielo anterior y tiene en cuenta las figuras que integran el paisaje que nos rodea. La Escuela de la Brújula, por su parte, apareció un siglo más tarde fundamentándose en la ciencia matemática y los puntos cardinales. En los últimos años ha proliferado en Occidente una nueva interpretación que se conoce como la Escuela de los Sombreros Negros o método Bagua. Se trata de una corriente que, para las escuelas tradicionales, carece de efectividad porque no utiliza la brújula, un instrumento fundamental.

◗ El «I Ching»

Si el origen mitológico del «I Ching» se
sitúa hacía el año 1122 a. de C. con el
descubrimiento de lo que la tradición
denominó mapas del universo; hace algo
más de dos mil años, en época de
guerras, comenzó su expansión por
todo el territorio asiático.

En este contexto, un antiguo emperador
ordenó a los expertos en Feng Shui que
enseñaran sus conocimientos a los
invasores para que les ayudaran a mejorar
su calidad de vida.

El objetivo del monarca no fue otro que el
de hacer que sus enemigos fueran más
felices en el entorno en el que vivían para
que olvidaran sus ansias de invasión.

Después, el flujo migratorio y las
relaciones comerciales hicieron el resto.
Con el paso del tiempo, los conocimientos
fueron pasando de una región a otra, lo
que permitió que este arte milenario
sirviera de guía para millones de personas
en el continente asiático.

Y es que las revelaciones que contenía el
«I Ching» eran tan útiles para guerreros
como para agricultores.

El «Mapa del río» incluía las
constelaciones; esta información más
tarde se completó con otros textos, de
modo que a lo largo de los siglos fue
adquiriendo distintas formas hasta llegar a
nuestros días.

En la actualidad, existen diversas
publicaciones sobre «I Ching» con las que
se puede profundizar en esta filosofía
milenaria.

CAPÍTULO 2

Un **diseño** armónico

El medio que nos rodea proyecta sobre nosotros energías que inciden directamente sobre nuestro estado emocional. Aunque no podemos actuar sobre la fisonomía de nuestras ciudades, sí podemos controlar esas fuerzas a través de la combinación de los colores, los olores, las formas, los objetos y los espacios en nuestros hogares y lugares de trabajo. Cada elemento que nos rodea encierra una carga simbólica que el Feng Shui nos desentraña para conseguir que la armonía nos rodee y nos ayude a alcanzar una vida satisfactoria.

vamos a aprender...

Espacios

Quién no ha tenido la impresión al entrar a un sitio o pasar por una calle de que había algo de ese espacio que le ponía nervioso. Algo que no sabría identificar pero que, sin embargo, intuye que podría estar relacionado con la estructura de un edificio, los colores, la luz, los olores, los objetos o la disposición de los mismos.

Repetir la visita

Si percibimos este tipo de sensaciones negativas, por ejemplo, en un restaurante, en la consulta de un médico o en cualquier establecimiento, lo más probable es que terminemos por no repetir la visita y que, incluso, nos provoque rechazo recordar aquella primera. Pero no supone mayor inconveniente.

El desasosiego

El problema surge cuando el agobio y la repulsión, el estrés y el desasosiego lo produce el propio hogar o lugar de trabajo. En estos casos no se podrá adoptar la misma actitud. Uno no puede salir de su casa por la mañana y no volver nunca más, de la misma forma que no puede saltar de un trabajo a otro constantemente.

RECUERDE QUE...

▶ El Feng Shui nos ayuda a lograr un desarrollo vital positivo a través de una correcta distribución de las habitaciones y una decoración adecuada.
▶ Las formas y los colores pueden influir en los estados de ánimo.
▶ La energía negativa nos impide disfrutar de una buena calidad de vida.

[6] El **flujo** Chi

La energía no debe quedar estancada por barreras que la impidan fluir.

COMO HEMOS VISTO EN EL CAPÍTULO ANTERIOR, EL CHI IMPREGNA TODO CUANTO NOS RODEA, CIRCULA POR LOS ESPACIOS QUE HABITAMOS Y ES FUNDAMENTAL AYUDARLO A FLUIR. DE ESTA MANERA, EVITAREMOS QUE SE ESTANQUE Y DEPOSITE SOBRE NOSOTROS UN LASTRE QUE NOS IMPEDIRÁ ENCONTRAR LA ESTABILIDAD.

A través del Feng Shui se puede determinar cuál es la orientación, la construcción, la distribución y la decoración más favorables para lograr que la energía posibilite nuestro desarrollo vital en el espacio que habitamos.

El objetivo es que lleguemos a encontrar la armonía para lograr una felicidad duradera que dé estabilidad a nuestra vida. Todos los elementos circundantes afectan a la salud emocional de las personas. La forma de una casa o el color de una habitación pueden incidir en el estado de ánimo. Cada uno de los cinco elementos proyecta una corriente de energía que entra en interacción con las demás.

Si conseguimos encauzar este flujo lograremos mantener en nuestro espacio las vibraciones positivas. Si no lo hacemos, con toda probabilidad la energía negativa nos privará de disfrutar de una sensación de bienestar. No podemos olvidar que la energía no debe encontrar obstáculos que dificulten su tránsito y provoquen que se estanque.

El **objetivo** del Feng Shui

El objetivo del Feng Shui es hallar la forma de que vivamos en armonía con aquello que nos rodea. Nuestra sociedad poco o nada tiene que ver con la de la China que alumbró este arte milenario.

Nuestro contacto con la naturaleza se reduce, en muchos casos, a los parques que hay en nuestras ciudades, a los árboles que decoran nuestras calles y a las aves que viven en sus copas.

Llevamos un ritmo de vida que nos impide poder abandonar la ciudad por un periodo prolongado y disfrutar de la tranquilidad del mundo rural. Estamos expuestos, cada vez con mayor intensidad, a la polución y al ruido de las obras y el tráfico. Ante esta situación, nuestro hogar se convierte en el refugio donde encontrar el sosiego necesario para compensar el estrés de la vida cotidiana, en un remanso de paz en el que recargarnos de vitalidad.

Puede resultar extraño que podamos adaptar un método tan antiguo a nuestras necesidades, sobre todo al tener en cuenta que extrae sus fundamentos de la observación de un entorno natural que se ha transformado de manera radical.

Sin embargo, sí es posible. Las montañas y los ríos pueden convertirse en edificios y calles que recogen toda la simbología ancestral de la que se sirve el Feng Shui para encontrar el mejor lugar para nosotros en el universo.

Nuestro **rincón** preferido

Nuestro rincón preferido es el que nos da tranquilidad y felicidad, haciéndonos regresar a él cada vez que nos sentimos intranquilos o agobiados.

La **importancia** del color

Parte de nuestro estado anímico depende de los colores que elegimos para el hogar.

[7] Animales **simbólicos**

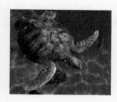

La orientación de la tortuga es el norte y su color, el negro. Su estación es el invierno y su elemento, el agua.

POCOS TIENEN LA SUERTE DE VIVIR EN UNA CASA EN EL CAMPO GUARECIDA POR TRES MONTAÑAS, UNA EN EL NORTE, OTRA EN EL ESTE Y OTRA MÁS EN EL OESTE, Y CON UN AMPLIO VALLE POR EL QUE DISCURRA UN RÍO AL SUR.

DENTRO DE LA ESCUELA DE LAS FORMAS, CADA UNO DE LOS ELEMENTOS QUE INTEGRA EL PAISAJE DESCRITO REPRESENTA A UN ANIMAL SIMBÓLICO: LA TORTUGA NEGRA, EL DRA-GÓN VERDE, EL TIGRE BLANCO Y EL AVE FÉNIX ROJA, RESPECTIVAMENTE. LA CASA, SITUADA EN EL CENTRO, ENCARNA A LA SERPIENTE AMARILLA.

Las distintas formas de nuestro entorno son el fundamento de la primera escuela de Feng Shui. Se trata de la Escuela de las Formas, que se rige por la doctrina del Pa Kua del cielo anterior. Además, cuenta con toda una simbología zoológica. Por ejemplo, la orientación de la tortuga es el norte; su color, el negro; su estación, el invierno y su elemento, el agua; la orientación del dragón es el este; su color es el verde; su estación, la primavera y su elemento, la madera. El tigre se relaciona con la orientación oeste; su color es el blanco; su estación, el otoño y su elemento, el metal. El ave fénix tiene como orientación el sur, su color es el rojo; su estación, el verano y su elemento, el fuego. Finalmente, encontramos la serpiente en el centro; su color es el amarillo y su elemento, la tierra.

▶ Las **ciudades**

La gran mayoría de nosotros tenemos que conformarnos con vivir en el interior de las ciudades, rodeados de edificios deshumanizados. Y, salvo que la entrada de la casa dé al sur, será imposible que su orientación concuerde con las que corresponden a los cinco animales.

Sin embargo, si tenemos la oportunidad de mudarnos de casa, conviene que observemos que esté correctamente orientada. Como hemos señalado, las montañas equivalen a los edificios. Pues bien, a partir de ahí tendremos en cuenta que nuestra futura residencia reúna una serie de requisitos que iremos viendo en este libro.

▶ Una buena **elección**

Para incrementar la protección y la estabilidad
es conveniente elegir pisos intermedios y con
forma cuadrada, no en L o H.

El camino que conduce hasta nuestro hogar
deberá estar despejado para facilitar el flujo de
energía. Además, la puerta de entrada estará
cuidada si queremos que sea un lugar que dé
la bienvenida. Nunca está de más que en las
proximidades haya jardines con flores
y árboles de hoja perenne, pues son símbolo de
prosperidad y crecimiento. No obstante, nos
aseguraremos de que no estén muy pegados a

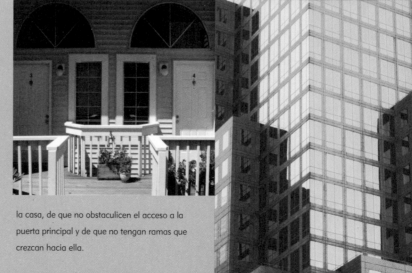

la casa, de que no obstaculicen el acceso a la
puerta principal y de que no tengan ramas que
crezcan hacia ella.

[8] La **armonía** externa

La serpiente, el epicentro de la vivienda, sugiere estabilidad.

EN PRIMER LUGAR, TENDREMOS EN CUENTA LOS ELEMENTOS EXTERNOS A NUESTRA VIVIENDA. PARA ELLO, DEBEREMOS OBSERVAR SI ALREDEDOR DE LA CONSTRUCCIÓN PODEMOS ENCONTRAR REPRESENTADOS LOS CINCO ANIMALES SIMBÓLICOS. EL PRIMER PASO SERÁ SITUAR EL CENTRO, ES DECIR, LA SERPIENTE. COMO EL OBJETIVO ES CONOCER CUÁL ES LA MEJOR UBICACIÓN PARA UN EDIFICIO, ÉSTE REPRESENTARÁ EL PUNTO CENTRAL A PARTIR DEL CUAL COLOCAREMOS LOS CUATRO ANIMALES RESTANTES.

Debemos cerciorarnos de que el edificio tenga bien resguardada su espalda o, lo que es lo mismo, un inmueble más alto en la parte posterior. De esta manera, nos aseguraremos de que el caparazón de la tortuga nos dé seguridad y proteja nuestra casa de los vientos fríos y fuertes del norte. Asimismo, sus costados deberán estar flanqueados por estructuras vigorosas, que encarnarán, por el este, al dragón verde y, por el oeste, al tigre blanco. El primero nos aportará reflexión y concentración, así como intuición e inteligencia; el segundo, vitalidad y aplomo. El uno no puede existir sin el otro, porque ambos son complementarios y se controlan para evitar desequilibrios.

En cuanto al valle que debe situarse por delante de nuestra casa, éste puede ser reemplazado perfectamente por un espacio abierto y con una buena vista, como una zona de recreo. Así lograremos que el ave fénix nos reconforte con la sensación de amplitud y libertad.

▶ La mayor **fuente de energía**

Siempre evitaremos situarnos cerca de industrias químicas que saturen la atmósfera de olores fuertes o de zonas por las que discurran corrientes de agua estancada o contaminada.

Los malos olores nos privan de nuestra mayor fuente de energía, el aire fresco. También es importante saber que nuestro hogar ha de estar siempre limpio y ventilado para que el Chi no se estanque y fluya por el aire sin encontrarse con obstáculos ni barreras.

TENGA EN CUENTA QUE...

▶ Debe vigilar que no haya postes eléctricos de alta tensión, antenas o grúas en las inmediaciones. Todos ellos proyectan energía negativa, sobre todo si apuntan hacia la puerta principal o hacia las ventanas, ya que éstas son una vía de entrada directa a la casa.

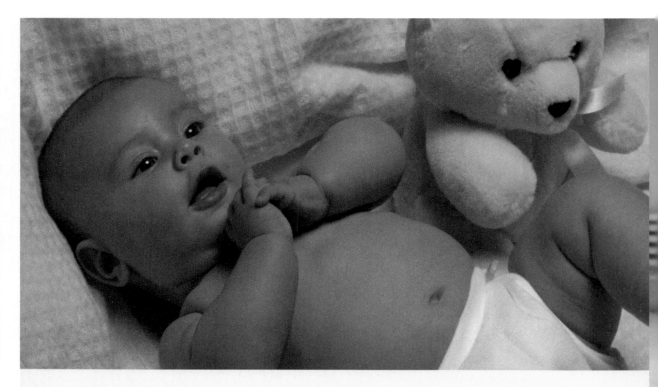

La **armonía** interna

[9]

ESCRUTADO EL EXTERIOR, ES EL MOMENTO DE QUE MIREMOS HACIA EL INTERIOR DE NUESTRAS CASAS. NO TODO EL MUNDO TIENE LA POSIBILIDAD DE CAMBIAR DE DOMICILIO, PERO ESTO NO RESULTA NINGÚN INCONVENIENTE A LA HORA DE PONER EN PRÁCTICA EL FENG SHUI.

En los objetos de nuestra casa podemos tener representados los cinco elementos de la naturaleza y los cinco animales.

El cambio que necesitamos muchas veces está dentro de nosotros mismos. Lo externo nos resulta más difícil de modelar y mucho más costoso. En ocasiones, derrochamos energía tratando de alcanzar un imposible que, en realidad, no nos proporcionaría la felicidad.

Lo mismo ocurre con nuestro hogar. No debemos obsesionarnos con la idea de que nuestra casa no reúne los requisitos que acabamos de enumerar y que, por ello, no vamos conseguir en ella esa armonía que tanto ansiamos.

Para empezar, los cinco elementos de la naturaleza y los cinco animales simbólicos (serpiente, tigre, tortuga, ave fénix y dragón) pueden estar perfectamente representados en su interior, por ejemplo en la colocación de una mesa, de un espejo o en la forma o el color de un objeto.

▶ El **dragón verde**

El dragón verde (madera) se situará al lado izquierdo del ave fénix. Una planta alta, una estantería, un armario o una lámpara de pie a la izquierda de su sillón de lectura son algunos de los recursos que están a nuestro alcance para beneficiarnos de su intuición, su tacto y su sabiduría.

▶ La **serpiente amarilla**

La serpiente amarilla (tierra) será en este caso la vivienda misma, ya que ahora tratamos de analizar el interior del espacio que habitamos. Recordemos que es el centro con respecto al cual colocaremos el resto de los animales.

▶ El **tigre blanco**

El tigre blanco (metal) es el complemento del dragón, ya que la fuerza siempre ha de ir acompañada por la reflexión y la sabiduría. El equilibrio entre ambas fuerzas es fundamental para conseguir estabilidad emocional.

▶ El **ave fénix roja**

El ave fénix roja (fuego) se encarnará en una pintura que aporte profundidad en aquellos espacios reducidos en los que no podemos llevar a cabo ninguna reforma que les dé mayor amplitud o, simplemente, con una mesa de centro de poca altura delante del sofá.

▶ La **tortuga negra**

La tortuga negra (agua) estará representada por una pared sólida que nos proteja de las frías corrientes de aire procedentes del Norte, los respaldos altos y firmes que dan estabilidad a nuestra espalda o los cabeceros de la cama amplios y de madera.

Armonizar el hábitat

Tanto el orden como el desorden excesivos pueden borrar de nuestro hogar la calidez y la armonía.

LA TENSIÓN INTERNA SE REFLEJA EN EL CAOS O EL DESORDEN EXTERNOS. ÉSTA ES LA BASE DEL TAO. DE AHÍ QUE EL PRIMER PASO QUE DAREMOS PARA ARMONIZAR NUESTRO HÁBITAT SEA LIMPIARLO Y ORDENARLO. A MUCHOS ESTO LES PUEDE PARECER DE SENTIDO COMÚN PERO, FRECUENTEMENTE, SON LAS COSAS MÁS OBVIAS LAS QUE ANTES PASAMOS POR ALTO.

Deshacernos de lo superfluo y de los objetos que nos proporcionan una información negativa, de las pilas de revistas antiguas, de los cajones repletos de cosas inservibles y de los armarios atestados de ropa que ya no nos ponemos debe ser nuestro primer objetivo.

Ello nos permitirá disponer de espacio para colocar objetos que nos ayudarán a que la energía fluya con libertad. Por el contrario, allí donde imperan el desorden y la suciedad, la energía se estanca y el espacio se impregna de elementos negativos.

Las ventanas sucias no dejan entrar la luz y nos impiden tener una buena visión del exterior, mientras que la acumulación de polvo favorece la concentración de energía estática y de partículas contaminantes que provocan alergias y enfermedades.

No obstante, un exceso de orden y asepsia tampoco son recomendables. Es decir, cuando nos situamos en cualquiera de los dos extremos, lo único que conseguimos es borrar de nuestro hogar la calidez y la armonía necesarias para desarrollar una vida plena y alegre.

▶ Su **influjo**

El influjo que ejercen los colores sobre nuestro estado de ánimo es considerable. De su combinación dependerán, en muchos casos, las emociones que nos inspire el lugar que habitamos. La tristeza, la apatía o la soledad pueden transformarse en alegría y vitalidad con un cambio en la decoración.

A través del Feng Shui podemos asesorarnos sobre los colores que nos resultarán más beneficiosos y que nos pueden ayudar a lograr los cambios que necesitamos.

▶ Los **colores**

El rosa representa el afecto; el rojo, la creatividad; el negro, la autoridad y el amarillo, la extraversión y la confianza.

▸ La vitalidad del Yang se concentra delante de la vivienda por ser éste un lugar próximo al exterior. Las estancias que se deben colocar aquí son la cocina, el comedor y el salón, donde tienen lugar nuestras relaciones personales. Al contrario, en el interior domina el Yin. Aquí es donde ubicaremos las habitaciones que exigen mayor intimidad, como los dormitorios.

▸ Es fundamental que cada área esté diferenciada, es decir, que en los dormitorios no haya televisores ni equipos de sonido, que nos acostumbremos a comer en la cocina o comedor y que utilicemos el salón para nuestras relaciones sociales.

▸ El Feng Shui nos ofrece un amplio abanico de interpretaciones sobre el espacio. Las dos vertientes más conocidas dentro de la Escuela de la Brújula son la Ba Zhai o de las Ocho Casas, y la Escuela Xuan Kong Fei Xing, también conocida como Escuela de las Estrellas volantes.

▸ El más utilizado por su simplicidad es el método Bagua, que asocia al espacio físico nueve áreas simbólicas.

El significado de los **colores**

El rojo encarna el poder, la actividad; el rosa, la calma y el afecto; el naranja, la creatividad y las relaciones sociales; el amarillo aumenta la energía y estimula la alegría y la riqueza; el blanco purifica y unifica; el verde aporta sosiego y equilibrio; el negro es reflejo de autoridad, demuestra disciplina y anima a la independencia; el azul relaja y fomenta la espiritualidad; el púrpura pone un punto de melancolía y respeto, y el magenta, la sensualidad.

Evitaremos los tonos grises oscuros, que incitan al desánimo, la tristeza y la falta de vitalidad, y fomentaremos los fucsias o los rosas chillones, que generan emociones basadas en el apego, la inmadurez o la fantasía. Los colores cálidos como el amarillo, el naranja y el rojo inspiran sensaciones positivas y dan mayor confianza y extraversión. Los colores más fríos, azules, verdes y púrpuras aportan paz y frescura en los dormitorios y los cuartos de baño. Los neutros, beis, grises y blancos, unifican los colores y facilitan la transición entre las diferentes habitaciones.

Las paredes neutras transmiten calma y nos ayudan a quitarnos el estrés. Además, en los cuartos con poca luz son recomendables las paredes de tonos brillantes y cálidos, que provocan reacciones positivas y alegres. En cambio, en las habitaciones con mucha luz se pintarán las paredes de tonalidades frías, aunque sin abusar de ellas, porque en estancias grandes pueden provocar tristeza.

En cualquier caso, la elección de los colores para una habitación dependerá de la actividad que vayamos a desarrollar en ella. Por supuesto, no podemos pintar de negro la pared de nuestro despacho con el fin de estimular las actividades profesionales; con colocar un objeto de ese color será suficiente.

También debemos tener en cuenta nuestro carácter. Por ejemplo, para las personas muy activas son recomendables los colores que contrarresten esa energía, como los tonos fríos o pastel; mientras que para las que tienden a estados de ánimo depresivos son preferibles los tonos cálidos y chillones.

[11] **Diseño** y armonía

UN PLANO ARQUITECTÓNICO BIEN PLANTEADO ES UN PRIMER PASO FUNDAMENTAL PARA
CONSEGUIR UNA CASA CON DISEÑO FENG SHUI.
ASIMISMO, LA CORRECTA DISTRIBUCIÓN Y UBICACIÓN DE LAS HABITACIONES NOS FACILI-
TARÁ LA DECORACIÓN ARMÓNICA DE LA VIVIENDA.

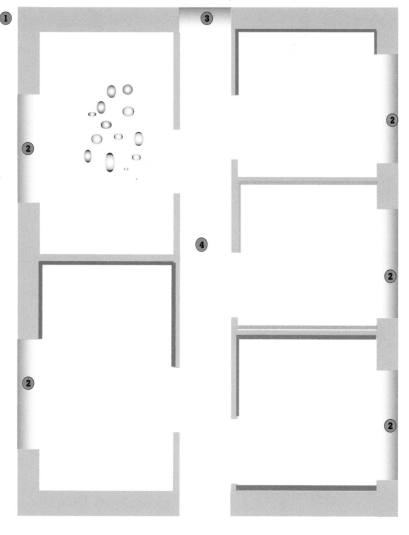

▶ Una estructura caótica

Si el plano de la casa se ha diseñado sin
observar los principios del Feng Shui, es
probable que su estructura no sea
armónica. Por este motivo, se reducirá el
flujo de energía positiva.

En el plano que acompaña estas líneas
podemos localizar los errores habituales en
el diseño de una casa. Si no pudiéramos
cambiar su estructura, el Feng Shui nos
permite soluciones alternativas mediante la
decoración de los espacios.

1 UN ESPACIO RECTANGULAR
*No es aconsejable que el plano de la
casa tenga forma rectangular, tal y
como muestra el dibujo.*

2 VENTANA ENFRENTADA A LA PUERTA
*Las ventanas enfrentadas a las puertas
provocan una rápida entrada y salida del
Chi vital e impiden un flujo armonioso de
las energías vitales.*

3 UN PASILLO ENFRENTADO A UNA VENTANA
*Un pasillo largo y recto nunca deberá
finalizar en una ventana para evitar
que la energía vital salga al exterior
con excesiva rapidez.*

4 COLORES Y AROMAS INTENSOS
*El empleo de colores chillones y aromas
fuertes potenciarán el mal flujo del
Chi, saturarán el ambiente y
provocarán sensaciones de
intranquilidad en la totalidad de la
vivienda.*

Un pasillo largo y recto que no finalice en una ventana resulta el más adecuado, según la filosofía Feng Shui.

El empleo de aromas fuertes potenciará el mal flujo del Chi y saturará el ambiente, provocando sensaciones de intranquilidad.

Elegiremos colores suaves que inviten a la relajación, así como aromas delicados.

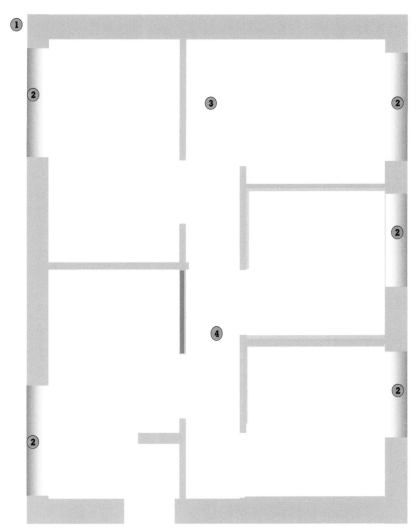

▶ Una estructura armónica

El Feng Shui sigue el principio de armonía en sus recomendaciones sobre el diseño de las casas.

Una vivienda tendrá una estructura armónica cuando cumpla el requisito de permitir que la energía vital positiva pueda fluir de forma libre y adecuada por todas sus habitaciones.

Lograr un diseño armónico que siga las pautas de esta ciencia milenaria no presentará dificultades si seguimos unos cuantos sencillos consejos, como diseñar una planta de forma cuadrada o situar un pasillo largo y recto sin ventana.

1 UN ESPACIO CUADRADO
Lo ideal es que las habitaciones formen un cuadrado.

2 VENTANAS NUNCA ENFRENTADAS A LA PUERTA
Así evitaremos que la energía salga con demasiada facilidad.

3 UN PASILLO FENG SHUI
Un pasillo largo y recto que no finalice en una ventana resulta el más adecuado, según la filosofía Feng Shui.

4 COLORES Y AROMAS ARMÓNICOS
Huiremos de los colores chillones y los aromas fuertes. Por lo contrario, intentaremos elegir tonos que inviten a la relajación y aromas suaves. Además, es importante una buena ventilación para evitar la concentración de olores.

CAPÍTULO 3

El **secreto** de la simultaneidad

EL FENG SHUI SE SOSTIENE SOBRE EL PRINCIPIO DE LA SIMULTANEIDAD, POR EL QUE LA PARTE DE-
SEQUILIBRADA DE NUESTRO ORGANISMO SE EQUILIBRA ANTE LA PRESENCIA DE LA PERFECCIÓN NA-
TURAL QUE EMANA DE LA ENERGÍA VITAL.
LAS ESTACIONES DEL AÑO, EL DÍA Y LA NOCHE, EL SOL Y LA LUNA IRRADIAN UNA SERIE DE IMPUL-
SOS ENERGÉTICOS QUE TENEMOS QUE APRENDER A SINCRONIZAR CON LOS QUE GENERA NUESTRO
ORGANISMO CON EL OBJETIVO DE ALCANZAR LA SIMULTANEIDAD.

vamos a aprender...

El concepto de simultaneidad

En los capítulos anteriores hemos definido el Feng Shui como el arte y la ciencia que se ocupa de armonizar las energías que fluyen a nuestro alrededor
para ayudarnos a encontrar el equilibrio. En este apartado, intentaremos explicar
cómo funciona y en qué consiste otra de sus características, la simultaneidad.
Para ello, realizaremos una analogía a partir de su significado.

Utilizar juntos los términos ciencia y arte como complementarios puede resultar paradójico. La norma general los separa y ubica en esferas independien-
tes. De hecho, mientras que el primero se relaciona con la objetividad y la univer-
salidad, el segundo sería la expresión de la subjetividad y de la relatividad.

El arte es «la virtud, disposición y habilidad para hacer alguna cosa»; la ciencia, «el conocimiento de las cosas por sus principios y causas». En el Feng
Shui ambas esferas actúan al unísono, de manera simultánea, para buscar el
punto de intersección en el que ambas se enriquecen.

Para ser una ciencia, una disciplina necesita proveerse de una serie de instrumentos que le permitan establecer las causas y las consecuencias de las cosas. La realidad se estructura de manera objetiva y se manifiesta a través de pa-
radigmas y conceptos que reciben una formulación diferente en cada cultura.

El arte intenta plasmar el contexto, interpretarlo y llenarlo de significado. Se
trata de una esfera en la que se observa cómo cada sociedad, en función de
las variables tiempo y espacio, se ha dotado de claves diferentes para hallar la
forma de dar sentido a la existencia.

El **camino** de la felicidad

CASI A LA VEZ, GRIEGOS Y CHINOS SE PLANTEARON PRÁCTICAMENTE LAS MISMAS CUESTIONES. ESTOS FILÓSOFOS, HOMBRES SABIOS E ILUSTRADOS DE HACE MILES DE AÑOS, SE PREOCUPARON POR ENCONTRAR EL CAMINO QUE SUS CONGÉNERES DEBÍAN SEGUIR PARA ALCANZAR LA PERFECCIÓN Y LA FELICIDAD.

El Chi terrestre está representado por el río y las montañas.

Chinos y griegos entendieron el universo como una totalidad, un todo ordenado en el que los distintos seres que lo integran están en su sitio y se comportan tal y como les corresponde, es decir, en armonía. Todos ellos atribuyeron a la naturaleza la capacidad para generar una fuerza dinámica que determina la forma y el lugar que ocupa cada ente. Esta fuerza unificadora ha sido denominada por la cultura china como Chi o Wu Chi. Se trata de energía que tiene el poder de unir a todos los seres y objetos. Su creación tiene lugar a partir del Tao, el origen. En China, el Tao se considera el vapor o la fuente de la vida. Su ciclo comienza cuando, a partir del vapor, surge un ente que termina por desaparecer y, por tanto, el vapor queda de nuevo liberado. De ahí que cada elemento de la naturaleza acabe regresando al Tao original. El Chi es todo, lo tangible y lo intangible, el cosmos, el universo, y fluye constantemente a nuestro alrededor. Además, influye en nuestra vida y actúa a partir del principio de lo simultáneo, desplegando, en un mismo espacio y tiempo, descargas compuestas por dos polos opuestos que tenemos que equilibrar.

▶ Las **clases** de Chi

Como ya vimos, existen tres tipos de Chi: terrestre, celestial y vital, que, a su vez, se corresponden con las fuentes principales de energía, que actúan sobre nosotros y que proceden directamente del medio ambiente. Cada uno de ellos influye de manera diferente sobre el entorno. El Chi terrestre toma forma en las montañas, los ríos, los edificios, las calles, los colores y olores que nos rodean y que ejercen una influencia crucial sobre nuestro estado de ánimo. El Chi celestial es producto de la energía cósmica, de los

cambios de estación y del influjo de la Luna. En definitiva, se trata de una serie de fenómenos ajenos a la acción humana pero no por ello menos influyentes sobre ella.
El Chi vital está intrínsecamente relacionado con nuestro entorno inmediato y es el único sobre el que tenemos capacidad de maniobra.

▶ Una de las bases fundamentales del Feng Shui es el principio de simultaneidad. Éste posibilita el equilibrio de la parte más desordenada del organismo a través de la energía vital que emana de la perfección natural.

▶ El proceso del equilibrio pasa por un primer estadio en el que el Chi Wu es neutro. Esta energía primaria se representa con un círculo vacío, que, en una segunda fase, se desarrolla por sí mismo.

▶ De esta etapa emergen el Yin y el Yang, las dos energías básicas que terminan dividiendo el círculo en una parte negra y otra blanca, respectivamente.

▶ Gracias a este proceso podremos utilizar cada una de las dos mitades, disfrutar de la armonía entre los dos tipos de energía y encontrar el punto intermedio en el que ninguna de las dos partes cause problemas.

▶ La felicidad llegará, pues, con el equilibrio entre el Yin y el Yang, algo que no sería posible sin la teoría de la simultaneidad.

[13] Los **ocho** trigramas

Una de las representaciones del trigrama Ch'ien es el cielo.

TODOS LOS SERES QUE FORMAN PARTE DEL UNIVERSO NACEN DE UN PROCESO DE TRANS-FORMACIÓN DE LA ENERGÍA. EL LIBRO SAGRADO «I CHING» EXPLICA ESTA METAMORFOSIS A PARTIR DE LA INTERACCIÓN DEL YIN Y EL YANG, DE LA QUE NACEN DOS HIJOS Y DOS HIJAS. CADA UNO DE ELLOS, A SU VEZ, DARÁ VIDA A DOS HIJOS E HIJAS, FORMÁNDOSE ASÍ LOS OCHO TRIGRAMAS DEL PA KUA, QUE REPRESENTAN LOS ESTADOS FUNDAMENTALES DE LA TIERRA.

Cada trigrama tiene tres líneas continuas o quebradas. La línea continua es la fuerza Yang, lo masculino, mientras la línea quebrada es la fuerza Yin, lo femenino. Para entender las secuencias de cada uno y su forma existen dos códigos de lectura. El primero fue descubierto por Fu Xi, experto en interpretar los ciclos de la naturaleza, en el Long Ma, un animal mitológico que emergió de las agua del río Amarillo.

El Long Ma lucía en el costado unos puntos que el chamán hizo corresponder con una serie numérica que va del 1 al 9 y que le sirvió de referencia para crear los Pa Kua del cielo anterior.
El segundo fue revelado por un emperador de la dinastía Xia que, inmerso en los trabajos de encauzamiento del río Luo Shu, vio emerger de sus aguas una tortuga blanca.

❱ Los **trigramas**

Cada uno de ellos simboliza un aspecto de la naturaleza, se corresponde con uno de los cinco elementos y actúa sobre una parte del cuerpo humano. Su orientación varía en función de si se analizan con los Pa Kua del cielo anterior o del posterior.

☰ **Ch'ien** es cielo, padre y autoridad; su elemento es el metal. En la secuencia del cielo anterior corresponde al Sur y en la del cielo posterior al Noroeste. Actúa sobre la cabeza y los pulmones.

☷ **K'un** simboliza la Tierra, la madre y la vida; su elemento es la tierra. En la secuencia del primer cielo se ubica en el Norte, y en la del cielo posterior, en el Suroeste. Actúa sobre el abdomen.

☳ **Chen** es el trueno, el hijo mayor, y tiene la capacidad de encontrar el camino adecuado. En la secuencia del cielo anterior se ubica en el Noreste, y en la del cielo posterior, en el Este. Su elemento es la madera. Actúa sobre los pies y los pulmones.

☴ **Sun** representa el viento, la hija mayor y el crecimiento; su elemento es la madera. En la secuencia del cielo anterior corresponde al Suroeste y en la del cielo posterior, al Sureste. Actúa sobre los brazos.

☵ **K'an** es el lago, el hijo mediano y el peligro; su elemento es el agua. En la secuencia del cielo anterior se ubica en el Oeste, y en la del cielo posterior, en el Norte. Actúa sobre los oídos y los riñones.

☲ **Li** es el símbolo del fuego, de la hija mediana y del calor; su elemento es la madera. En la secuencia del cielo anterior se ubica en el Este, y en la del cielo posterior, en el Sur. Actúa sobre los ojos y el corazón.

☶ **Ken** representa la montaña, el hijo menor y la capacidad de superación; su elemento es la tierra. En la secuencia del cielo anterior se ubica en el Noroeste, y en la del cielo posterior, en el Noreste. Actúa sobre las manos y la espalda.

☱ **Tui** es el lago, la hija menor y el gozo de la existencia; su elemento es el metal. En la secuencia del cielo anterior se ubica en el Sureste, y en la del cielo posterior, en el Oeste. Actúa sobre la boca y los pulmones.

❱ El **Ch'ien, Chen y Ken**

Ch'ien, Chen y Ken son representaciones sagradas junto al resto de trigramas.

❱ La representación **K'un**

Simboliza la madre, la vida y la Tierra y tiene poder sobre el abdomen.

[14] Sincronizar los **impulsos**

EL TRUCO RESIDE EN SER CAPAZ DE SINCRONIZAR LOS IMPULSOS ENERGÉTICOS CON LOS DE NUESTRO CUERPO, ES DECIR, CON LOS LATIDOS DE NUESTRO CORAZÓN. ESTA AFIRMACIÓN PUEDE RESULTAR AMBIGUA Y CARENTE DE SENTIDO; PERO EN REALIDAD, SE SOSTIENE SOBRE LAS BASES DE LA SIMBOLOGÍA MILENARIA DEL TAOÍSMO.

El Yin y el Yang forman parte de nosotros mismos, de nuestro cuerpo y de nuestra mente.

La filosofía taoísta afirma que el Chi es el impulsor de las direcciones que toma la vida, el motor de cada ciclo vital. Los pensadores taoístas son observadores del mundo externo, que evoluciona en función de una serie de impulsos o movimientos que van dirigiendo tanto a la naturaleza como al individuo. Con esa observación han logrado desarrollar distintas metodologías para localizar la simultaneidad entre los impulsos. Se trata de métodos comunes y fáciles. Por ejemplo, disfrutar del sol, sentir el frío y observar la luz por el día y la oscuridad por la noche. El Yin y el Yang están presentes en nuestro cuerpo, en tanto que somos capaces de experimentar las emociones que el Chi celestial irradia desde nuestro entorno sobre nosotros. De esta forma, el todo (el universo) genera un impulso hacia lo concreto (el individuo) y, a su vez, éste se lo devolverá a aquél, impregnando el mundo de equilibrio y bienestar.

[15] Sincronizar **nuestro** hogar

EL PRINCIPIO DE LA SIMULTANEIDAD ES APLICABLE AL ÁMBITO DOMÉSTICO. SI COMBINAMOS ADECUADAMENTE LOS COLORES, LOS OBJETOS, LA ILUMINACIÓN Y LA TEMPERATURA EXPERIMENTAREMOS EN NUESTRO ORGANISMO LOS CAMBIOS DE LA NATURALEZA A LA VEZ QUE SE PRODUCEN.

La tecnología nos permite dominar los fenómenos externos, aunque es mejor aprovecharse de los beneficios que la naturaleza nos aporta.

En la actualidad, las nuevas tecnologías nos permiten modelar el ambiente de nuestro hogar para suavizar los fenómenos externos. Sin embargo, a pesar de que éstas nos brindan confort y son la máxima expresión de la modernidad, debemos reflexionar sobre su aportación. Deberíamos pensar, por ejemplo, hasta qué punto serían necesarios los aparatos de aire acondicionado si los arquitectos adoptaran medidas que nos salvaguardaran del calor en verano y el frío en invierno.

Los edificios tendrían que construirse con techos más altos que ayuden a mantener la vivienda fresca en verano, amplias ventanas para que entre la luz en invierno, etc.

Existen innumerables medidas para adaptar nuestro ritmo vital al del universo y, de esta forma, estar en armonía con nuestro entorno.

Sin embargo, en muy pocas ocasiones forman parte del ideario de constructores y arquitectos.

▶ Las **ciudades**

Al doblar cada esquina, al cruzar cada avenida, al mirar hacia arriba para adivinar si va a llover o lucir el sol, la sensación de pequeñez y aislamiento nos embarga, nos demuestra hasta qué punto nuestras ciudades han dado la espalda a la naturaleza.

▶ Alteración de los **ciclos**

Calor extremo en invierno, frío en verano y luz en la noche. La tecnología ha corrompido el flujo natural de las cosas, ha modificado los ciclos y de ello nos resentimos todos los seres que habitamos la Tierra.

Normalmente, los animales y las plantas que viven en las ciudades sufren estrés porque la manipulación de la luz no les permite llevar a cabo correctamente sus ciclos vitales.

Un **hábitat** respetado

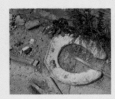

LOS OBJETOS QUE HAN SIDO REALIZADOS CON MATERIALES NATURALES, COMO PIEDRA O MADERA, SON LOS MÁS RECOMENDADOS SI LO QUE QUEREMOS ES TENER UN BUEN FENG SHUI. EL EQUILIBRIO Y LA ARMONÍA SON MÁS PERFECTOS SI PROVIENEN DE UN ESTADO NATURAL.

La modernidad implica trabajar más y disponer de menos tiempo para reflexionar... ¡incluso nos hemos olvidado de la importancia que tiene la conservación de nuestro entorno!

En el pasado remoto que alumbró el Feng Shui, las casas se integraban en la naturaleza y los materiales de construcción empleados eran extraídos del mismo entorno. Desde el interior de las viviendas eran perceptibles el sol, la luna y la frescura de la tierra.

El hábitat era respetado. Las plantas, los minerales, el agua y los animales estaban presentes en esos hogares tanto de manera funcional como simbólica, representando a cada uno de los microuniversos que conforman el todo del que emana la energía primaria.

Resulta paradójico que, en el proceso de evolución, la humanidad haya ido dando la espalda a estos preceptos, que intentaban mejorar la vida cotidiana de manera sencilla. La modernidad implica trabajar más y disponer de menos tiempo para observar y reflexionar. La casas son cada vez más pequeñas, funcionales e inaccesibles en el plano económico. Además, la energía resulta cada vez más cara.

▶ El **hogar** como refugio

En la actualidad resulta difícil que nuestro hogar sea un refugio en el que hallar el sosiego necesario para compensar el estrés de la vida cotidiana. Las habitaciones –pequeñas, con poca luz, extremadamente calurosas en invierno (por el exceso de calefacción) y frías en verano (por el abuso del aire acondicionado)– bloquean la fluidez del Chi y, con ello, nuestra capacidad emocional e intelectual.

Sin duda alguna, el Feng Shui es un instrumento válido para ayudarnos en la selección de los materiales de la vivienda y de aquellos objetos que nos permiten tener presente que el origen de todo se encuentra en la naturaleza. Son objetos capaces de desvelarnos el secreto de la simultaneidad, un fenómeno que nos envuelve integrándonos en el cosmos, ejerciendo de correa de transmisión de los impulsos vitales que empujan los ciclos de creación universales.

CAPÍTULO 4

Los **flujos** de la energía vital

La energía es la savia que recorre nuestros hogares para llenarlos de vida. Entra por la puerta y se distribuye por el pasillo hacia cada una de las habitaciones, hasta salir por las ventanas, limpiando el ambiente e impregnándolo de aire fresco. Sin embargo, también puede quedar bloqueada y perjudicar la salud, la creatividad o las relaciones de los moradores de la casa. A través del Feng Shui podemos aprender a encauzar su flujo para incrementar nuestro bienestar.

vamos a aprender...

La energía fluye en nuestro hogar

La energía vital fluye a nuestro alrededor, impregna el espacio que habitamos e influye en el desarrollo de nuestras aptitudes físicas y mentales. Nos proporciona bienestar o nos provoca desasosiego en función de la orientación de nuestro hogar, la disposición de las habitaciones y de los objetos o los colores que utilizamos para decorar estas estancias.

Un Chi fresco y limpio

El Feng Shui nos descubre dónde circula mejor la energía y dónde peor, dónde es negativa y dónde positiva o, simplemente, a qué zonas no llega. Si cuidamos nuestro cuerpo, igualmente debemos mimar nuestro hogar para conseguir que el Chi fresco y limpio irradie toda su vitalidad sobre el espacio que habitamos.

Una decoración adecuada

Según la disposición de los objetos en nuestra casa, sentiremos bienestar o desasosiego.

HISTORICAL
AN ENTRANCE FEE OF $ 3.00 PER PERSON
IS REQUIRED FOR THE UPKEEP OF THE MUSEUM.
ANY DONATION WILL BE GREATLY APPRECIATED

▌ El fluir de la **energía**

La energía se distribuye través de las puertas, las ventanas, los pasillos y las escaleras, que condicionan su entrada y salida en una habitación. La clave reside en que sepamos ayudarla a fluir, con el objetivo de que no se bloquee y perjudique nuestra salud, creatividad o trabajo. En un lugar en el que la puerta y las ventanas no están enfrentadas, la energía se desplazará de forma suave y positiva por todo el espacio. De esta manera, el movimiento se asemejará al de una brisa suave o al de un arroyo y fomentará el equilibrio y la creatividad.

▌ Todo en **orden**

Si cada elemento del hogar está ubicado correctamente, nos transmitirá tranquilidad.

[17] La **energía** en el hogar

Cuidemos el hogar igual que hacemos con nuestro cuerpo al llevar una dieta sana.

NUESTRO OBJETIVO ES FAVORECER LA ENTRADA DE LA ENERGÍA POSITIVA A NUESTRO HOGAR. SI QUEREMOS QUE ALGUIEN VENGA A VISITARNOS, TENEMOS QUE INVITARLE Y SI, ADEMÁS, DESEAMOS QUE VUELVA, TENDREMOS QUE TRATARLE BIEN. ESTE SENCILLO PRINCIPIO ES EL QUE DEBEMOS APLICAR A NUESTRA RELACIÓN CON EL CHI.

Lo primero que ve la persona que viene a nuestra casa es la puerta de entrada. Ésta representa el límite entre el mundo exterior, Yang, y el interior, Yin. Acota nuestro espacio vital y nos permite disfrutar de intimidad al erigirse en obstáculo para la intromisión de extraños. La decisión sobre quién puede rebasar o no esa barrera sólo nos compete a nosotros.

Se trata del primer elemento con que se topa quien viene a visitarnos y de su estado dependerá la imagen que vamos a proyectar hacia el exterior. Imagínese que un compañero de trabajo le invita a almorzar y cuando llega a su casa se encuentra con que la puerta del domicilio está en unas condiciones pésimas: no tiene número, el timbre no funciona, la madera está astillada... Seguro que lo primero que le vendría a la cabeza sería que el interior debe estar, como mínimo, en las mismas condiciones. Esta impresión le impedirá disfrutar plenamente de la velada.

▌ La **energía** positiva

Un camino bien señalizado que conduzca hacia la entrada, una puerta bien cuidada, con un felpudo bonito que dé la bienvenida y un timbre con sonido agradable, predisponen a entrar en ese lugar con buen estado de ánimo.

Es fundamental que el acceso a nuestro hogar esté limpio, porque la falta de higiene, psicológicamente, crea confusión, cansancio y miedo. Las plantas colocadas a la entrada nos ayudarán a que la energía que entre en la casa sea positiva.

▌ La **distribución** de la energía

Si los vanos de la casa están enfrentados, la energía saldrá directamente, atravesará la habitación con violencia, con una potencia desestabilizadora que nos perjudicará y nos restará capacidad de concentración.

Cuando la habitación tenga una única vía de acceso y de salida, la fuerza se bloqueará. Al igual que ocurre con el agua estancada, se corromperá y generará emanaciones de energía negativa que nos sumirán en la apatía.

◗ El **mapa** de la vitalidad

Los geomantes chinos establecieron un mapa de la vitalidad a partir de ocho direcciones geográficas: norte, sur, este, oeste, noreste, noroeste, sureste y suroeste.

De esta manera, descubrieron el flujo que debe seguir la energía para fomentar el desarrollo personal en los espacios que habitamos.

Relacionaron las áreas dinámicas o Yang con la primavera y el verano, estableciendo para ellas el Este, el Sureste y el Sur. Mientras que las estabilizadoras o Yin se correspondían con el otoño y el invierno, ubicadas en el Oeste, Noroeste y Norte. Asimismo, establecieron dos zonas intermedias relativas a la energía de la Tierra, que actuaban como umbral o transición entre la energía dinámica y la estabilizadora.

El resultado es la figura octogonal Pa Kua. Como vimos en el capítulo anterior, este símbolo contiene los trigramas que reproducen el proceso de transformación de la energía, del que nacen todos los seres que forman parte del universo.

[18] Un hogar **tranquilo**

En la cultura oriental, es costumbre dejar el calzado fuera de la casa, junto con las tensiones del día.

LA PUERTA SIMBOLIZA LAS ENERGÍAS INTERMEDIAS DE LA TIERRA, Y REPRESENTA LA TRANSICIÓN ENTRE EL YANG, LA ACTIVIDAD DIARIA, Y EL YIN, LA TRANQUILIDAD DEL HOGAR. AL IGUAL QUE CON NUESTRAS AMISTADES, PARA LOGRAR QUE EL CHI ENTRE EN NUESTRA CASA TENEMOS QUE INVITARLE A PASAR, CUIDANDO EL ASPECTO DE LA ENTRADA PRINCIPAL.

La entrada principal constituye el inicio, la afluencia de oportunidades, la abundancia de energía positiva y el fortalecimiento de nuestras aptitudes. De hecho, la tradición oriental contempla el ritual de quitarse los zapatos antes de entrar en casa como modo de dejar afuera los problemas.

Esto es equiparable a la costumbre occidental de limpiarse la suela de los zapatos en el felpudo; de este modo, descargamos nuestra mente de las tensiones del día y evitamos que las energías negativas traspasen el umbral de nuestro hogar.

A continuación ofrecemos algunos consejos para convertir la entrada de la casa en un filtro que sólo deje pasar el Chi:

Las llaves tienen que abrir con facilidad y la puerta no debe estar descolgada ni chirriar, pues lo contrario simbolizaría dificultades para comenzar proyectos.

Además, el ángulo de apertura debe ser amplio (a poder ser, superior a los 90°) para así enfatizar el mensaje de bienvenida y de calidez.

No menos importante es el sonido del timbre, que ha de ser suave para evitar sobresaltos a los habitantes de la casa.

El **olfato**

Para el Feng Shui, los aromas son conductores de la energía. Su presencia es más sutil que la de los objetos y puede evidenciar aquello que queremos ocultar. Aunque resulte una obviedad, es fundamental que el recibidor huela bien. El olfato es el sentido que más influye sobre la percepción que tenemos del entorno. Su influencia se observa claramente sobre el gusto (si nos tapamos la nariz perdemos la capacidad de saborear la comida), pero también sobre la memoria. El olor nos puede retrotraer a periodos de nuestra infancia que creíamos olvidados.

El **recibidor**

Traspasada la puerta, el siguiente espacio que encuentra la energía es el recibidor. Lo ideal es disponer a la derecha (para los diestros) un lugar donde depositar los accesorios.

Si una persona entra a nuestra casa y encuentra un perchero en el que dejar la chaqueta, la mochila o el paraguas, aumentaremos la sensación de acogida. Es recomendable que el mobiliario colocado en el recibidor no presente aristas en ángulo recto que apunten hacia la puerta, sino que tengan los cantos redondeados.

[19] El **flujo** adecuado

El salón o comedor es el lugar ideal para afianzar las relaciones familiares.

UNA VEZ ARMONIZADAS LA ENTRADA Y EL RECIBIDOR, EL SIGUIENTE PASO ES LOGRAR QUE LA ENERGÍA FLUYA ADECUADAMENTE. PERO, ¿HACIA DÓNDE DEBEMOS LLEVARLA PRIMERO PARA APROVECHAR AL MÁXIMO LA VITALIDAD INICIAL CON LA QUE SE ACCEDE AL INTERIOR DE NUESTRA VIVIENDA?

ÉSTA ES UNA CUESTIÓN QUE PODEMOS RESPONDER A TRAVÉS DEL FENG SHUI. PARA EMPEZAR, NECESITAMOS UN CENTRO DE REUNIÓN QUE FAVOREZCA LAS RELACIONES FAMILIARES Y SOCIALES, QUE PUEDE SER EL SALÓN O EL COMEDOR. PERO NO BASTA CON EL ESPACIO FÍSICO.

El mobiliario es fundamental para crear una atmósfera cálida que propicie la comunicación. La disposición de los asientos deberá evitar tanto que el Chi fluya con rapidez, como que se estanque.

Por lo tanto, no se colocarán todos los respaldos en línea recta contra la pared ni de forma que se bloquee la salida; lo ideal es que formen ángulos de 90°, favoreciendo así la comunicación.

En ningún caso el centro de la habitación debe quedar vacío. Un jarrón con flores, plantas, velas o una mesa baja correctamente adornada nos ayudarán a evitar que el salón proyecte sensación de desolación.

Por supuesto, la televisión no debe ser el único motivo por el que estamos en esta zona. Es más, puede resultar contraproducente, ya que no fomenta las relaciones al actuar como un elemento que obstaculiza la comunicación.

Por lo tanto, es conveniente que haya libros, un equipo de música o un balcón con plantas que requieran nuestra atención.

RECUERDE QUE...

▶ El salón se debe acompañar con libros, música y flores para fomentar la comunicación.
▶ Es recomendable ocultar el televisor en un armario para que no interfiera entre nosotros.
▶ Es mejor colocar los asientos formando un ángulo de 90º.

Energía en **movimiento**

Las puertas, las ventanas o las escaleras son vías de acceso para que la energía fluya.

LA ENERGÍA SE MUEVE FUNDAMENTALMENTE A TRAVÉS DE LAS PUERTAS, LOS PASILLOS, LAS VENTANAS Y LAS ESCALERAS. ESTOS ELEMENTOS DETERMINAN TANTO LA ENTRADA Y SALIDA DE LA ENERGÍA EN UNA ZONA COMO SU POTENCIA.

Para que la energía fluya de forma correcta debe entrar por la puerta y desplazarse con suavidad por el interior de la sala, con movimientos circulares y suaves, hasta salir por una ventana situada dentro de la perpendicular que dibuja la línea imaginaria que la une a la entrada.

Si se encuentran enfrentadas, el choque de energías será fuerte y violento. Sin embargo, puede reconducirse este movimiento colocando obstáculos en la entrada o en la salida para restarle potencia. Una planta en el alféizar de la ventana o un móvil colgado del techo nos servirán para este cometido.

El Feng Shui recomienda que todas las habitaciones tengan su propia puerta para retener la energía, pues los espacios sin separación pueden dar lugar a dispersión. No obstante, en caso de tratarse de un espacio diáfano pueden utilizarse biombos o cortinas para que ayuden a independizar las diferentes zonas.

El único requisito indispensable que no debemos pasar por alto a la hora de distribuir el mobiliario de un espacio es que la puerta nunca debe quedar a nuestra espalda. De esta forma, evitaremos estar expuestos a sorpresas, imprevistos o engaños.

▶ Colocar **plantas**

Un móvil colgado del techo o plantas en las ventanas servirán para reducir las energías enfrentadas.

Para obstaculizar la entrada fuerte y violenta de la energía se pueden colocar plantas en las ventanas.

Éstos son recursos que utiliza a menudo la filosofía Feng Shui. Tanto el móvil como la planta colgante tienen la función de atraer la energía positiva, pero también de retenerla, frenarla de un modo suave para que su paso al interior no sea agresivo.

» La mesa de trabajo no debe quedar entre la puerta y la ventana para evitar que la energía choque contra ella.

» Nunca se colocarán ni el cabecero ni los pies de la cama apuntando hacia la puerta. Se trata de evitar sensaciones de inseguridad o ansiedad.

[21] Muebles y **estancias**

Una ubicación errónea de la cama puede impedir que la energía se desplace correctamente por la habitación.

EN LAS HABITACIONES DEDICADAS AL ESTUDIO O TRABAJO HEMOS DE PROCURAR QUE LA MESA NUNCA QUEDE NI DE ESPALDAS A LA PUERTA NI CONTRA UNA PARED. CUANDO VAMOS A LA CONSULTA DE UN MÉDICO, POR EJEMPLO, ÉSTE NUNCA NOS RECIBE SENTADO DE ESPALDAS A LA ENTRADA. AL CONTRARIO, SE SIENTA DE CARA A LA PUERTA DE LA ENTRADA O DE LADO CON LA INTENCIÓN DE DAR LA SENSACIÓN DE PROFESIONALIDAD.

Si no disponemos de espacio suficiente, trataremos de que la mesa se sitúe de manera que, al sentarnos, la puerta quede a un lado y la ventana al otro. Eso sí, deberemos evitar que quede expuesta a la fuerza de la energía que se genera entre una y otra.

Pero si nos resulta imposible mantener el control de la puerta porque la distribución de los muebles lo impide, podremos optar por poner un espejo en la pared para que la refleje. No es necesario que sea de grandes dimensiones, basta con que nos permita ver la puerta.

En cuanto a las camas, hemos de intentar que éstas queden fuera del flujo de corriente de energía que recorre la habitación desde la puerta hasta la ventana. Nunca colocaremos el cabecero o los pies de la cama de manera que apunten directamente a la puerta.

▶ La **escalera**

Para evitar que la energía fluya de manera dispersa o agresiva por la escalera, en primer lugar evitaremos que los accesos a las habitaciones estén cerca de ella.

Las escaleras más difíciles de controlar son las largas y empinadas. Los escalones deben distinguirse a la perfección, por lo que se podrían combinar diferentes colores o dibujos.

En el caso de las escaleras con escalones «al aire», la violencia de la corriente aumenta y con ello la inseguridad de quien sube o baja. Si no se quiere tapar los huecos que quedan entre los peldaños, pueden colocarse plantas en los extremos para proyectar estabilidad.

No es aconsejable que la escalera sea de caracol ni que se sitúe en el centro de la casa, ya que éste es el centro energético de la vivienda. El material que mejor funciona es la madera o la terracota porque aportan calidez.

Los **pasillos**

Las casas disponen de espacios de tránsito tanto para sus moradores humanos como energéticos. Al igual que nosotros pasamos de una habitación a otra a través de los pasillos o escaleras, la energía necesita moverse de un lado a otro en una suerte de devenir continuo.

Un pasillo largo y recto invita a desplazarse con rapidez, incluso al juego. La mayoría de nosotros hemos sentido el impulso de correr de un extremo a otro de un pasillo ante la seguridad de no encontrar ningún obstáculo. Del mismo modo, se desplaza la energía, pudiendo adoptar un carácter rápido y agresivo que la desequilibra. Se trata de la misma situación que cuando una ventana y una puerta están encaradas directamente, sin que medie entre ellas ninguna planta o móvil. Entra y sale con violencia, provocando desasosiego en el ambiente. Por ello, es recomendable colocar obstáculos que dificulten su tránsito y dirijan su movimiento para que éste sea ondulante y tranquilo. Lo ideal sería que el pasillo tuviera ángulos, pero si no tiene esta característica y queremos solucionar el problema, jugaremos con la iluminación para crear focos de atención sobre cuadros, cubriremos el suelo con alfombras y colgaremos lámparas del techo, y, si se dispone del ancho suficiente, colocaremos algún mueble tipo consola o alguna planta.

Asimismo, las paredes deberán estar pintadas de colores relacionados con el elemento tierra para que aporten estabilidad y seguridad a nuestro hogar.

Los **flujos** de la energía

LLAMAMOS ENERGÍA VITAL POSITIVA A LA QUE FLUYE SIN OBSTÁCULOS NI EXCESIVA RAPI-
DEZ POR LAS ESTANCIAS DE LA CASA. LAS TRAYECTORIAS QUE TOMARÁ ESTE BUEN CHI EN
SU RECORRIDO POR LAS HABITACIONES SE VEN CLARAMENTE SIGUIENDO LA DIRECCIÓN DE
LAS FLECHAS INDICADAS EN LOS DIBUJOS.

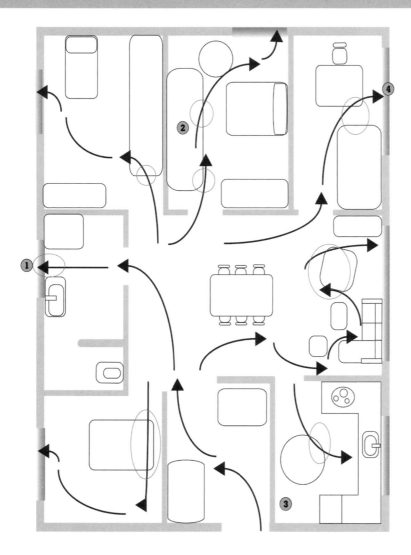

▶ Un nocivo flujo del Chi

Las distribuciones caóticas impiden el
flujo correcto de la energía vital positiva.
Del mismo modo, una velocidad excesiva
durante el recorrido de la energía vital por
la casa contaminará el clima de la
vivienda y transmitirá sensaciones de
inquietud.

Por último, hay que evitar su
estancamiento eliminando los obstáculos
y con ventilaciones adecuadas.

(1) UNA ESTRUCTURA INADECUADA
*Se desaconseja colocar las ventanas
enfrentadas a las puertas. Una distribución
caótica exige reorientar las energías vitales
utilizando elementos decorativos.*

(2) UNA CASA CON OBSTÁCULOS
*Los muebles grandes y pesados junto
con una mala distribución del espacio
pueden actuar como freno al tránsito
libre del buen Chi.*

(3) ZONAS ESTANCADAS
*En las zonas donde hay una entrada
pero no una salida de energía, como en
los rincones sin ventilación ni ventanas,
se crean zonas estancadas que
dificultan la dinámica natural de la
energía vital positiva.*

**(4) UN FLUJO MUY LENTO O
DEMASIADO RÁPIDO**
*La entrada y salida de la energía
excesivamente rápida es un obstáculo
para el flujo del Chi.*

La armonía es el principio fundamental del Feng Shui.

Una entrada repleta de obstáculos impedirá que la energía vital recorra las habitaciones de la casa de un modo correcto.

Es recomendable una fachada cuidada para potenciar el signo positivo de las energías que, a través de la puerta, entran en la casa.

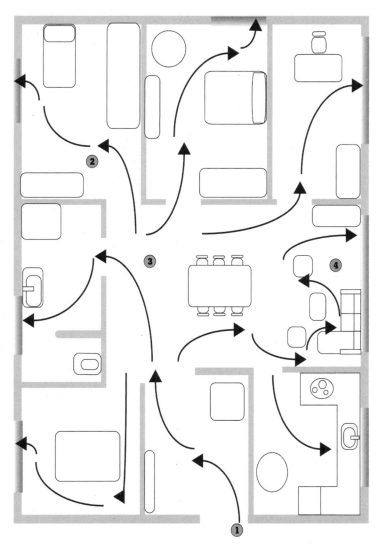

▶ Un buen flujo del Chi

Un plano de la casa acorde con los principios del Feng Shui logrará ralentizar el flujo de la energía vital positiva para que fluya de un modo ni demasiado rápido y fuerte ni demasiado lento. Tras conocer la estructura arquitectónica recomendada de la vivienda, descrita en el capítulo número dos, estamos en disposición de poder abordar el apartado del buen flujo de la energía vital en su recorrido por los diferentes espacios.

① UNA ESTRUCTURA ADECUADA
La distribución garantiza que el flujo del Chi se desplace con un orden adecuado, que llene los espacios de energía vital de un modo armónico.

② UNA CASA SIN OBSTÁCULOS
Los muebles grandes y pesados sumados a una mala distribución del espacio, pueden actuar como freno al tránsito libre del buen Chi.

③ UNA CASA ARMÓNICA
Conseguiremos que la armonía, principio fundamental del Feng Shui, impregne los espacios de la casa cuando el paso de la energía vital sea libre y natural, sin topar con obstáculos o estancamientos.

④ UN FLUJO NI MUY LENTO NI DEMASIADO RÁPIDO
Hay que evitar una entrada y salida de la energía excesivamente rápida y violenta. La distribución conforme a los principios de la armonía Feng Shui nos da las claves para lograr un flujo adecuado del Chi.

CAPÍTULO 5

Conocer los **elementos**

LAS HABITACIONES DE NUESTROS HOGARES ESTÁN REPLETAS DE OBJETOS QUE GENERAN CAMPOS DE ENERGÍA QUE RECORREN EL ESPACIO QUE HABITAMOS. LA DECORACIÓN DE UNA CASA PUEDE AFECTAR DIRECTAMENTE A LA SALUD, A LAS RELACIONES DE PAREJA O A LA SITUACIÓN ECONÓMICA, YA QUE GENERA EMOCIONES TANTO FAVORABLES COMO DESFAVORABLES EN SUS MORADORES. PARA EVITAR POSIBLES EFECTOS NEGATIVOS, EL FENG SHUI NOS ENSEÑA A CANALIZAR ESTA ENERGÍA A TRAVÉS DE LA CORRECTA DISPOSICIÓN DE LOS OBJETOS.

vamos a aprender...

Los objetos contienen energía

Estamos rodeados de objetos que encierran una carga simbólica, tanto positiva como negativa. Pocas veces prestamos atención a las energías que se proyectan sobre el espacio que habitamos pero, de alguna manera, somos conscientes de que son parte fundamental del ambiente de una habitación.

Formas y colores de los objetos

Cada objeto tiene un color, una forma y una función específicos que crean vínculos emocionales con sus poseedores. Sin ir más lejos, las formas brindan a nuestro subconsciente mensajes sutiles que, a través del Feng Shui, podemos aprender a controlar para conseguir que reporten beneficios en nuestra vida.

Armonizar el espacio

El primer paso que debemos dar es analizar qué tipo de relación mantenemos con los elementos que nos rodean, con el fin de armonizarlos en el espacio en el que se ubican. Por lo tanto, de una manera sencilla, esta ciencia milenaria puede interpretarse como el arte de colocar cada objeto en su sitio.

[23] Eliminar lo **superfluo**

Es importante deshacerse de aquello que no vamos a utilizar o nos perjudica para cambiarlo por cosas nuevas que nos traigan mejores recuerdos.

DECIDIR EL LUGAR EN EL QUE SE VAN A COLOCAR LOS OBJETOS NO ES TAN SENCILLO. PARA COMENZAR A PRACTICAR FENG SHUI, ES FUNDAMENTAL DESHACERSE DE LO SUPERFLUO, ES DECIR, TIRAR O DONAR AQUELLO QUE NOS PERJUDICA E IMPIDE QUE TENGAMOS ESPACIO EN NUESTRA CASA PARA LA ENTRADA DE ENERGÍA RENOVADA.

Eliminar lo superfluo implica

poner orden en nuestras vidas y liberarse de miles de cosas que nos atan. Esta acción nos capacita para superar los problemas que se nos puedan presentar. Creando un espacio vacío atraeremos objetos nuevos que nos enriquezcan con perspectivas diferentes. No obstante, esto no significa que después de hacer una limpieza general tengamos que llenar el espacio ganado con infinidad de objetos con los que creamos que vamos a mejorar el ambiente. Para evitar caer en esto, antes de empezar a redecorar es necesario analizar el lugar sobre el que vamos a actuar.

Por supuesto, la nueva decoración siempre deberá estar basada en el equilibrio entre el Yin y el Yang. Tanto el exceso de objetos o de iluminación como la carencia de los mismos son igual de contraproducentes.

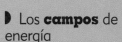

▌ Los **campos** de energía

Los colores, las luces, los muebles y los objetos decorativos determinan los campos de energía que recorren el espacio en el que nos desenvolvemos. Si se canaliza esta energía de manera adecuada mediante una correcta distribución de las habitaciones de la casa y todos aquellos objetos que la decoran, las personas que la habitan conseguirán las metas que se propongan y tendrán una vida exitosa y plena en cuanto a salud, dinero y amor.

▌ El **dormitorio**

Tras una ruptura es aconsejable deshacerse de todos los recuerdos que quedan de esa etapa. En función de lo traumática que haya sido es conveniente, incluso, cambiar la cama, las sábanas y las almohadas. Éste es el primer paso para comenzar otra etapa con energía renovada.

Esta recomendación tiene su base en que los objetos de los que hablamos siempre estarán cargados con energía negativa que dificultarán la búsqueda de una nueva pareja.

▌ Recargar la **energía**

Cuando decidimos cambiar algo de nuestra vida que no nos gusta o que nos hace desgraciados o nos agobia, puede que experimentemos cierta desazón motivada por el miedo a lo desconocido. Sin embargo, esta sensación no es para siempre, ya que nos habremos liberado de una carga que realmente nos imposibilitaba y, en poco tiempo, conseguiremos recargarnos de energía nueva que nos hará sentirnos más cómodos en nuestro espacio.

RECUERDE QUE...

▌ Los objetos que se encuentran en nuestro entorno nos dotan o despojan de energía. Sólo tenemos que fijarnos en qué tipo de relación mantenemos con cada uno de ellos y eliminar los perjudiciales; de esta forma, mejoraremos el Chi.

[24] **Activar** el Chi

Conviene no recargar los dormitorios para dejar espacio a corrientes de nueva energía.

DEBEMOS ACTIVAR LA ENERGÍA QUE NOS ENVUELVE, RECOLOCANDO LOS MUEBLES Y LOS OBJETOS PARA ELIMINAR LOS OBSTÁCULOS QUE BLOQUEAN SU FLUJO. HAY QUE SUPRIMIR LA SATURACIÓN DESCARGANDO LAS HABITACIONES DE CUADROS, ADORNOS, MESAS O APARATOS ELÉCTRICOS. UNA DECORACIÓN RECARGADA OCASIONA AGOTAMIENTO Y, EN EL CASO DE LA HABITACIÓN DE MATRIMONIO, DIFICULTA LA ACTIVIDAD SEXUAL.

Como norma general, hay que desprenderse, primero, de todo aquello que no se haya usado durante más de un año. Es evidente que cada objeto, cada mueble, contiene una historia, ejerce una influencia sobre nosotros y nos hace vivir experiencias que nos afectan.

Por ello, es posible que resulte difícil desprenderse de aquello con lo que mantenemos un vínculo emocional fuerte. Sin embargo, realizar este esfuerzo es necesario porque llevar a cabo estos pequeños cambios genera importantes resultados.

La acción de desechar lo que no utilizamos implica poner orden en nuestra vida. Con toda seguridad, el estado de ánimo mejorará y podremos afrontar nuestros asuntos personales con espíritu positivo, además de dejar suficiente espacio libre para que la energía renovada lo ocupe.

▶ La importancia del **orden**

Por supuesto, es primordial prestar mucha atención al orden y al tipo de objetos que hay en una vivienda o en el lugar de trabajo para no convivir con elementos carentes de armonía.

▶ Activar la **energía** positiva

Existe una amplio número de objetos relacionados con la cultura oriental que se pueden utilizar para activar, moderar o elevar el Chi.

No obstante, debemos ser cautos en cuanto a su utilización, pues no siempre se adecuan a las características occidentales.

Eso sí, lo que siempre debemos recordar es que un objeto relacionado con una mala etapa de nuestra vida sólo nos proporcionará energía negativa.

▶ Los espejos Bagua son uno de los símbolos más populares de protección de la vivienda dentro de la cultura china y la tradición del Feng Shui. Suelen ser octogonales y en el marco aparecen los trigramas. Se colocan sobre la puerta principal con el Chi'en o cielo en la parte superior y el K'un en la inferior. Deben reflejar el exterior de la casa para evitar la entrada de energía negativa.

▶ Los **espejos**

Dentro de la simbología del Feng Shui el espejo se utiliza para curar multitud de males. Actúa como una ventana virtual que ayuda a equilibrar el espacio de una casa o a aumentar las ganancias de un negocio. Sin embargo, los espejos no se pueden colocar de manera precipitada para aumentar la dimensión de una estancia. Hay que tener en cuenta que pueden amplificar o duplicar detalles negativos.

El Feng Shui aconseja no colocar nunca un espejo frente a una puerta, ya que desvía la energía. Tampoco se recomienda su ubicación delante de la cama ni en los dormitorios, pues dificultan el sueño.

Nos desharemos de los espejos rotos, deformados, biselados o que duplican la imagen, y no aceptaremos los que han pertenecido a personas con mal Feng Shui.

▶ La **luz**

Poner luz o velas en una mesa repleta de objetos, en un escritorio con montones de papeles o en un galán de noche con mucha ropa, sólo resaltará la sensación de desorden de una habitación. Asimismo, hay que proyectar la luz hacia arriba o hacia abajo, pero nunca hacia los laterales.

En caso de que se vayan a utilizar velas, es recomendable que se eviten los cirios o las velas de color oscuro, sobre todo el negro, porque el resultado será crear un ambiente cargado y confuso.

▶ Los **móviles** y el Chi

Si la melodía que produce un móvil al ser movido por el viento es grata, éstos se convertirán en un estimulante del Chi. Generalmente se colocan cerca de las puertas o de las ventanas para generar, con su armonía, calma y serenidad en el ambiente. Un sonido estridente no permitirá que la energía vital entre en el hogar.

Estos objetos pueden ser de diferentes estilos y colores. Los más utilizados son los móviles de metal, que simbolizan dicho elemento, y el trigrama Ch'ien. Se utilizan para contrarrestar los efectos negativos del elemento tierra,

mientras que si llevan cinco tubos o son de color rojo entran en contradicción con el simbolismo, porque el primero representaría el elemento tierra y el segundo el fuego.

❱ Las **plantas**

Las plantas generan energía positiva allí
donde crece o nace una flor. Además, nos
permiten, como ningún otro elemento,
recuperar el contacto con la naturaleza,
pero debemos evitar los cactus o las
especies espinosas.

Si un lugar es beneficioso para ellas,
también lo es para las personas. Por ello, es
recomendable situarlas en las zonas de
actividad, pero no debemos colocarlas en
los dormitorios, porque se alimentan de
nuestra energía y nos restan oxígeno.

En las habitaciones en las que es necesario
suavizar el flujo del Chi, pueden colocarse
plantas en las ventanas para que actúen de
freno. Si las ubicamos a ambos lados de una
entrada, crearán y atraerán el buen Chi.

❱ Los **cristales**

Los cristales son superficies brillantes que
sirven para atraer el Chi, que ayuda
a eliminar la agresividad de las esquinas,
a potencia las zonas debilitadas y a frenar
las corrientes de energía.

79
CONOCER LOS ELEMENTOS

▶ Las **fuentes** y acuarios

Otro de los mecanismos más efectivos a la hora de armonizar un hogar son las fuentes, ya que el agua es el símbolo de la fertilidad, de la salud y de la prosperidad.

Pero para que cumpla con este cometido es importante que se renueve diariamente.

Las peceras simbolizan el desarrollo y la entrada de dinero. De ahí que en muchos locales comerciales regentados por orientales sea habitual ver peceras o acuarios para atraer el Chi, proveedor de riqueza.

▶ Las **flautas** de bambú

La flauta de bambú se ha empleado tradicionalmente en la historia de China para anunciar la llegada de la paz después de los trágicos periodos de guerra que marcaron la morfología de este enorme país asiático. Con el paso de los siglos este simbolismo ha perdurado y dicho instrumento se ha convertido en un elemento que transfiere paz, seguridad y estabilidad a un hogar, oficina o negocio.

▶ Objetos **caseros**

La lista de objetos simbólicos que utiliza el Feng Shui para proteger la vivienda es muy extensa. Sin embargo, en la mayoría de las ocasiones no es necesario recurrir a ellos para alcanzar nuestros objetivos, ya que, en realidad, puede servirnos cualquier objeto que haya en casa.

No es necesario adquirir cosas nuevas si podemos lograr el equilibrio y las mejoras requeridas aplicando correctamente la teoría de los cinco elementos. La madera, el fuego, la tierra, el metal y el agua están representados en objetos decorativos o utilitarios.

▶ **Objetos** imprescindibles

Según el Feng Shui, ciertos elementos no deben
faltar en un hogar y deben colocarse
cuidadosamente en el sitio adecuado para crear
un circuito de energía que estimule la salud y la
prosperidad.

▶ La **tierra**

La tierra simboliza la estabilidad, la solidez, la ternura, la seguridad y el cuidado. Fomenta el liderazgo, la organización y la buena administración, proveyendo a los moradores de la casa de la objetividad y la sensatez necesarias para tomar decisiones importantes.

Si queremos que la tierra esté presente en nuestro hogar, nos bastará con disponer adornos de porcelana o barro, cuadros que representen montañas y volcanes, formas cuadradas y planas, y objetos bajos o de tonos térreos.

La tierra es un elemento aconsejable para la habitación de matrimonio, porque estimula la armonía familiar, la maternidad y la fecundidad. Sin embargo, la saturación de este elemento puede provocar estancamiento y detener el desarrollo de un negocio.

❱ La **madera**

La madera simboliza el crecimiento y la creatividad. Además, alimenta la alegría, la felicidad y la extraversión. Para que todos estos atributos concurran en nuestro domicilio podemos representar este elemento con objetos y muebles de madera, cuadros, paisajes de bosques o jardines, formas alargadas, tonos verdes y azules claros, fibras textiles de origen natural, plantas, flores, árboles o seda. Las áreas de trabajo son las que mejor reciben este elemento, ya que en ellas se desarrollan las actividades intelectuales. No obstante, hay que tener cuidado con la madera porque puede provocar tensión e hiperactividad.

❱ El **fuego**

Si lo que necesitamos es imprimir alegría a un espacio determinado, el elemento que nos puede ayudar es el fuego, ya que representa la capacidad de comunicación y aporta estabilidad y precaución. No obstante, tengamos en cuenta que si bien puede resultar beneficioso también puede ser fuerte y destructivo.

Este elemento es ideal para la zona donde se fomentan las relaciones sociales, como el salón. Pero si se utiliza en exceso, el fuego puede generar estrés, impulsividad y exceso de emociones, así como discusiones, peleas y accidentes.

❱ El **agua**

Para proveernos de profundidad en nuestros razonamientos, de capacidad de análisis, de dinero y de las oportunidades que simboliza el agua, podemos disponer objetos de cristal, cuadros de ríos, cascadas o mares, formas asimétricas e irregulares y tonos oscuros, como grises, azul marino y negro. Este elemento resulta conveniente en aquellos espacios donde se desee promover la tranquilidad, el descanso, el sueño o la reflexión. Su abuso, sin embargo, puede generar inestabilidad, miedo y sensación de soledad.

❱ El **metal**

La abundancia, la solvencia o la riqueza están determinadas y son favorecidas por el elemento metal.

Se corresponde con la frialdad, el orden y la limpieza y representa la solidez y la consolidación de los proyectos vitales. En decoración se asocia con los objetos metálicos, brillantes y reflectantes, con las formas circulares, ovaladas y arqueadas, con el blanco, los tonos pastel, plateados y metalizados. También con los paisajes rocosos, el cuarzo, las piedras preciosas, las joyas y las obras de arte en general.

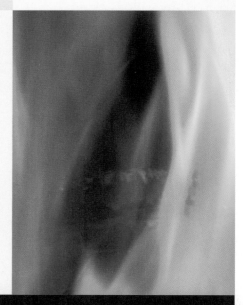

CAPÍTULO 6

Los **códigos** chinos

LA FILOSOFÍA ORIENTAL NOS APORTA LAS CLAVES NECESARIAS PARA ENTENDER EL ARTE DEL FENG SHUI. DE HECHO, EXISTEN UNOS CÓDIGOS QUE SIRVEN PARA ARMONIZAR TODOS LOS ELEMENTOS QUE SE ENCUENTRAN A NUESTRO ALREDEDOR. ESTA CULTURA ASIÁTICA ENTIENDE QUE HAY DISTINTAS ENERGÍAS O FUERZAS QUE AFECTAN A LA ARMONÍA DEL UNIVERSO, COMO EL CHI O EL YIN Y EL YANG. PERO, ¿QUÉ SIGNIFICADO TIENEN ESTOS TÉRMINOS Y PARA QUÉ NOS PUEDEN SERVIR? EN ESTE CAPÍTULO INTENTAREMOS DARLES UN SENTIDO PRÁCTICO.

vamos a aprender...

El Chi, concepto primordial

Para entender el Feng Shui en su totalidad, primero hay que explicar un concepto primordial en el estudio de la filosofía china, el Chi.

Según la filosofía oriental, hay una fuerza superior que afecta a todo el universo, incluyendo al hombre. Con esta explicación que nos da la sabiduría china tenemos una primera aproximación al concepto del Chi.

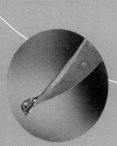

La conjunción de la energía

Asimismo, los primeros pensadores asiáticos aseguraban que la estructura de todo lo que se encuentra en el universo se basa en la conjunción de la energía. Gracias a esta afirmación, podemos decir que el arte del Feng Shui, además de ser un conjunto de ideas prácticas y estéticas para aplicar en nuestra vida diaria y en nuestro hogar, es un conocimiento que trata de explicar el orden de la naturaleza.

Cielo, Tierra y hombre

LAS TEORÍAS CHINAS EXPLICAN DE QUÉ MANERA EL CHI AFECTA Y ESTÁ PRESENTE EN TODAS LAS COSAS. PARA ELLO, DIVIDIERON ESTA FUERZA SUPERIOR EN TRES CATEGORÍAS QUE SE RELACIONAN CON EL CIELO, LA TIERRA Y EL HOMBRE, SON: EL CHI CELESTIAL, EL CHI TERRESTRE Y EL CHI HUMANO.

El cielo es una de las tres categorías en las que dividieron el Chi las antiguas teorías chinas.

El Chi celeste afecta a la Tierra a través de las fuerzas que ejercen las estrellas o los planetas. De esta forma, se podría explicar el efecto de la Luna sobre las mareas a partir de la antigua filosofía china. El Chi terrestre está bajo la influencia del cielo y, al mismo tiempo, absorbe la energía de la Tierra.

Por último, pero no menos importante, tenemos el Chi humano al que, como es lógico, afectan tanto el celeste como el terrestre.

Para tratar el Chi humano, la filosofía oriental ha utilizado y utiliza diferentes técnicas para curar y para reforzar el cuerpo. La acupuntura, el empleo de hierbas medicinales o las artes marciales son algunas de ellas.

Finalmente, hemos de decir que todo este conjunto de energías y fuerzas abstractas se puede resumir con una idea muy clara: cuando el Chi terrestre está en equilibrio todo fluye de manera natural, las plantas crecen y los animales también.

Pero ¿cómo afecta todo esto al Feng Shui? Según los chinos, estas energías son la base de este arte y se deben entender para poder armonizar el paisaje y la decoración interior y exterior de nuestras casas.

❯ El **Chi** celeste

El Chi celeste se nutre de la fuerza de los astros para influir sobre la Tierra. Ésta es una posible explicación de las mareas.

[26] La **teoría** del Yin Yang

Todo en el universo tiene un Yin y un Yang.

LA TEORÍA DEL YIN Y EL YANG INTENTA HACERNOS ENTENDER QUE TODO TIENE UNA PARTE OPUESTA Y QUE, AL MISMO TIEMPO, ESTAS DOS MITADES SON INSEPARABLES Y SE COMPLEMENTAN. ESTAS ENSEÑANZAS SE HAN APLICADO DESDE LA ANTIGÜEDAD A LOS DISTINTOS ÁMBITOS DE LA TRADICIÓN Y CULTURA CHINA, EN CAMPOS TAN DIFERENTES COMO LA MEDICINA, LA ASTRONOMÍA O LA POLÍTICA.

Para la filosofía oriental, el Yin es todo lo que se pueda asemejar al agua, como la frialdad, la oscuridad y lo tendente hacia abajo. Por el contrario, el Yang sería el fuego o la calidez y representa la tendencia hacia arriba.

La naturaleza es un factor importante en nuestra vida. Al igual que para Occidente es el pulmón o el descanso, para Oriente es un ser que respira, se alimenta y crece.

Para la filosofía china, todo es energía en movimiento; nada es estable en la vida. Pero, ¿cómo afecta el Yin y el Yang al Feng Shui? Este arte armónico aplica ese código chino al entorno.

Por esta razón, si el Yin y el Yang están equilibrados en nuestra vida, nuestro hábitat gozará de bienestar y fortuna. Sin embargo, si una de las dos fuerzas está desequilibrada o, lo que es lo mismo, si una supera a la otra, el orden se rompe y sólo tendremos mala suerte.

▶ El **significado** de la figura

La figura negra es el Yin y la blanca es el Yang. Para facilitar la memorización de estos dos símbolos se puede recurrir al significado del blanco y del negro. Lógicamente, la figura clara representa la parte positiva, clara, transparente, caliente; y la negra, la parte negativa, oscura, fría, intempestiva.

La filosofía oriental basó sus enseñanzas en la astrología y, por esta razón, el Yin y el Yang se alternan cada año e influyen en el carácter de las personas.

▶ El **calendario** chino

Según el calendario chino, las personas que nacen en años pares son Yang. Su vida se caracterizará por ser muy activa y emprendedora.

Por el contrario, las personas que han nacido en un año impar son Yin y se distinguen por ser más tranquilas, prudentes y reflexivas.

▶ La **figura** Ying Yang

Todos conocemos la figura que representa el Yin y el Yang, ya que se utiliza mucho en diseño y la publicidad la ha puesto de moda. Pero realmente, ¿cuál es su significado y para qué puede servirnos en nuestra vida diaria?

Para responder a esta pregunta, primero hay que explicar lo visible, es decir, lo que ya conocemos, el símbolo en sí mismo. Se trata de un círculo que se divide en dos mitades por una línea ondulada. De esta forma, quedan dos figuras iguales pero al mismo tiempo distintas, ya que son diferentes en el color y en su posición.

RECUERDE QUE...

▶ El Yin y el Yang son dos formas de una misma idea.
▶ La cultura tradicional china aplica la teoría del Yin y el Yang a los más variados ámbitos de la vida.
▶ El Yin representa lo que tiende hacia abajo. Por el contrario, el Yang se encuentra en lo que tiende hacia arriba.

RECUERDE QUE...

▸ Si llegamos a comprender la filosofía del Yin y el Yang podremos aplicar sus principios para conseguir una vida larga y un hábitat armónico.

▸ El Feng Shui da soluciones a situaciones en las que la distribución de la casa es inadecuada.

[27] Un entorno **armonioso**

¿CÓMO AFECTA LA TEORÍA DEL YIN Y EL YANG A NUESTRA CASA Y A NUESTRO ENTORNO? COMO YA SABEMOS, EL FENG SHUI SIRVE PARA CONSEGUIR LA ARMONÍA EN NUESTROS HOGARES. LA TEORÍA DEL YIN Y EL YANG NOS PUEDE SERVIR PARA LOGRAR QUE NUESTRO HOGAR SEA UN ESPACIO ARMÓNICO.

El interior de una vivienda y su parte trasera es el Yin. El jardín interior no debe producir demasiadas sombras.

En una vivienda, el Yin es la parte interior de la casa y el Yang es la exterior, igual que lo son el jardín y la parte delantera de la vivienda, respectivamente.

Si tenemos en cuenta esta primera orientación sobre dónde se encuentran el Yin y el Yang en nuestros hogares, las habitaciones interiores servirán para estar relajados y para conseguir un descanso placentero (el Yin). En cambio, los cuartos exteriores o situados en la parte delantera nos ayudarán a conseguir un mayor equilibrio en actividades relacionadas con el trabajo (el Yang). Por ello, si un dormitorio, destinado al descanso, está situado en la parte delantera de una vivienda, nunca conseguiremos ni un sueño reparador ni la relajación deseada, ya que estamos bloqueando el Chi al ocupar una habitación Yang. De la misma forma, si un despacho, destinado a trabajar, se ubica en la zona interior de una casa, no lograremos llevar a cabo un trabajo satisfactorio. En cualquier caso, recibiremos energías negativas durante el desarrollo de las actividades en dicha habitación.

❱ Un **sueño** reparador

Gracias a estas teorías que nos ayudan a encontrar la armonía en nuestro entorno sabemos que la cama se tiene que colocar en la zona Yin del espacio para poder tener un sueño más reparador. Además, la habitación no requiere una gran cantidad de ventanales, ya que, así, nos protegeremos del ruido exterior y lograremos un espacio íntimo y de reposo. Para tener un sueño reparador necesitamos intimidad y poco ruido.

❱ Corregir **desequilibrios**

A menudo, las casas no están distribuidas de forma adecuada. ¿Qué podemos hacer entonces? El Feng Shui da una solución para las situaciones en las que no se puede hacer nada. Por ejemplo, si un dormitorio está en la parte delantera de la vivienda, hay que introducir elementos que equilibren el Yin y el Yang. Por ello, se deberán colocar objetos Yin, como muebles en tonos suaves, y crear una iluminación de las mismas características. En cambio, para equilibrar el Chi de un

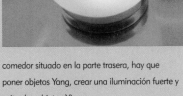

comedor situado en la parte trasera, hay que poner objetos Yang, crear una iluminación fuerte y evitar los objetos Yin.

Elementos Yin y Yang

El estudio de los orígenes de la energía y su comportamiento es parte de la filosofía oriental.

LA FILOSOFÍA CHINA HA DEDICADO PARTE DE SU ESTUDIO A EXPLICAR CÓMO FUNCIONA LA ENERGÍA. CONOCER ESTAS TEORÍAS NOS AYUDARÁ A COMPRENDER Y A SABER APLICAR EL FENG SHUI A NUESTRA VIDA Y A NUESTRO ENTORNO DE UNA FORMA EFICIENTE Y PRODUCTIVA.

Los teóricos orientales observaron que todo en el universo se puede dividir en los cinco elementos del Yin y el Yang. Para facilitar la comprensión de los cinco elementos, los sabios chinos identificaron estos componentes con cinco materiales presentes en la naturaleza, a saber: el agua, la madera, el fuego, la tierra y el metal. Si estudiamos lo que las teorías orientales sostienen, estos cinco elementos interactúan entre sí y, de esta manera, unos dan la vida a otros y se controlan entre sí.

Para entender esta interacción se representaron los cinco elementos en un diagrama, donde cada uno de ellos ocupa un círculo. El diagrama nos sirve para poder visualizar las relaciones que se producen entre cada elemento, gracias a unas flechas que salen de las circunferencias.

Pero lo que más nos interesa saber es cómo afecta esta teoría o concepto al Feng Shui y, sobre todo, cómo nos afecta a nosotros.

▶ Las **combinaciones**

Si combinamos los cinco elementos, conseguiremos una vida y un hogar armónicos y mucho más placenteros.

▶ La **relación** de los cinco elementos

El arte de la armonía aconseja que todos estos elementos estén equilibrados.

Si conseguimos esto, disfrutaremos de una casa más confortable y de una vida más placentera.

Como ya hemos dicho, según los filósofos orientales, estos cinco elementos se relacionan constantemente entre sí gracias a dos ciclos: el generativo y el de control o constructivo.

▶ Gracias a los cinco elementos, se pueden elegir los colores o materiales que pueden ayudarnos a armonizar nuestro entorno. Por lo tanto, según esta teoría, cuando elegimos los muebles de una habitación es importantísimo que los cinco elementos estén equilibrados.

▶ El **ciclo** generativo

Gracias al ciclo generativo un elemento hace nacer a otro y se consigue equilibrar todas las fuerzas. Con este proceso (que precede al de control y debilitamiento), la madera alimenta el fuego, que crea la tierra. Este elemento produce el metal, que genera el agua y que, por último, servirá para crear madera.

Pero si no existiera el ciclo antagónico de control, este ciclo se repetiría continua e interrumpidamente, produciéndose un conflicto en el universo. De esta manera, el agua tiene como antagónico al fuego, el fuego al metal, el metal a la madera, la madera a la tierra y la tierra al agua.

29

La **armonía** del hogar

El exceso o la carencia de alguno de los cinco elementos puede ocasionar una falta de equilibrio en el hogar.

CON TODAS ESTAS PREMISAS, QUEDA CLARO QUE UN HOGAR O UNA HABITACIÓN SERÁ POCO ARMÓNICA Y, POR CONSIGUIENTE, INCÓMODA SI SE PRODUCE UN EXCESO O UNA FALTA DE ALGUNO DE LOS CINCO ELEMENTOS. ÉSTOS DEBEN SERVIR PARA CONSEGUIR LA ARMONÍA PROPUESTA POR EL FENG SHUI. CADA UNO DE ELLOS SE DISTINGUE POR UNA SERIE DE MATERIALES Y OBJETOS QUE ORDENADOS ADECUADAMENTE PROPORCIONAN ARMONÍA.

Para entender estas afirmaciones pondremos dos casos prácticos: el cuarto de baño y la cocina. En el cuarto de baño siempre habrá un exceso del elemento agua y, por lo tanto, tendremos que equilibrar este excedente con el elemento tierra, por ejemplo, con la madera. Además, habrá que evitar todos los objetos y elementos decorativos metálicos. Por su parte, en la cocina predominan los elementos fuego y agua. Según el Feng Shui, estos dos componentes son opuestos y provocan conflictos. Para evitar que se produzca un desequilibrio se recomienda introducir los elementos tierra y madera.

Los cinco elementos nos proporcionan la armonía del Feng Shui. Según la antigua sabiduría china, cada uno de estos componentes se encuentra representado en nuestro entorno por una serie de materiales. Dispuestos adecuadamente, lograremos el equilibrio deseado.

El **elemento** madera

El elemento madera deberá estar representado en nuestro hogar por los artesonados, los muebles de madera, las telas y los tejidos naturales, como el algodón o el lino, las plantas o el color verde.

El **elemento** metal

En lo que se refiere al metal, el Feng Shui recomienda utilizar en nuestras estancias materiales metálicos, rocas, mármol y granito, entre otros. Sus colores son el plateado, el dorado, el blanco y el gris.

El **elemento** fuego

El elemento fuego tiene que ver con todo tipo de iluminación, como las velas, las lámparas e, incluso, las ventanas por donde entra la luz natural. Asimismo, dentro de esta categoría también nos encontramos con los animales, con todos los objetos que se fabrican con materiales de procedencia animal y con los colores rojo y naranja, entre otros.

El **elemento** agua

Tiene que ver con las piscinas, los estanques, el vidrio, los cristales y los espejos.

El **elemento** tierra

El elemento tierra se encarna en los ladrillos, las tejas, el adobe y los objetos de cerámica, de loza o de porcelana. Además, también está representado por colores como el amarillo ocre y todos los tonos tierra.

RECUERDE QUE...

En este capítulo hemos abordado los conceptos de la filosofía china imprescindibles para saber interpretar correctamente el Feng Shui y, de esta forma, poder aplicar las ideas de este arte milenario a nuestra vida y a nuestro entorno.

El **código** de las direcciones

SEGÚN EL CÓDIGO CHINO DE LAS DIRECCIONES, EXISTEN DIFERENTES MANERAS DE RELACIÓN ENTRE LOS CINCO ELEMENTOS VITALES.

PERIODO DE DEBILITACIÓN

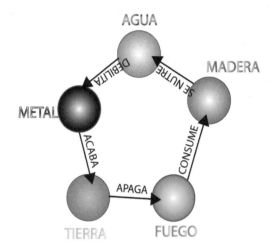

▶ Periodo de debilitación

La madera se nutre del agua. El agua, a su vez, debilita el metal y éste acaba con la tierra que, a su vez, apaga el fuego, el cual consume madera.

PERIODO DE DESTRUCCIÓN

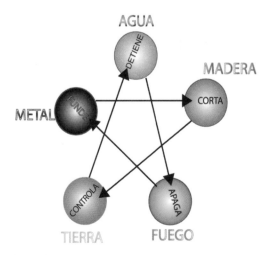

▶ Periodo de destrucción

La madera controla la tierra, que inmoviliza el agua. Ésta apaga el fuego, que funde el metal, que, a su vez, cortará la madera.

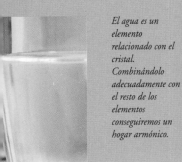

El agua es un elemento relacionado con el cristal. Combinándolo adecuadamente con el resto de los elementos conseguiremos un hogar armónico.

En el periodo de creación, la madera es el elemento con el que se inicia el ciclo hasta concluir de nuevo en él.

Para que tenga lugar el ciclo generativo, los elementos han de pasar, en primer lugar, por los periodos de debilitación y de destrucción.

PERIODO DE CREACIÓN

▶ Periodo de creación

La madera alimenta el fuego. El fuego crea la tierra y ésta produce el metal, que generará agua, para así nutrir la madera.

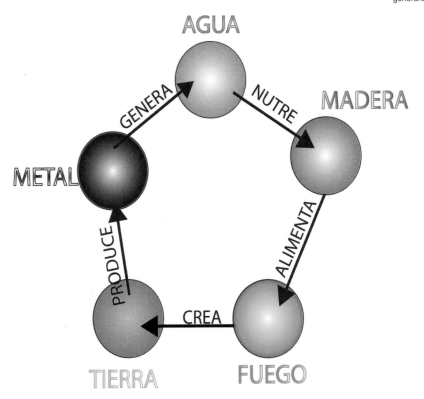

La **vida** en una brújula

UNA PARTE IMPORTANTE E IMPRESCINDIBLE DEL FENG SHUI SUPONE CONOCER LA ORIENTACIÓN DE NUESTRA CASA. DE ESTA FORMA PODREMOS APLICAR A NUESTRA VIDA Y A NUESTRO ENTORNO LAS ENSEÑANZAS DE ESTA TÉCNICA.

LOS PRIMEROS PENSADORES CHINOS UTILIZARON UN MAPA QUE SERVÍA PARA ORIENTAR NUESTRO HOGAR. IGUAL QUE UNA BRÚJULA, ESTE MAPA, LLAMADO BAGUA, NOS GUIARÁ PARA ENCONTRAR LA ENERGÍA POSITIVA Y CONSEGUIR UN ENTORNO TAMBIÉN POSITIVO.

Una aproximación al mapa Bagua

El mapa Bagua es el instrumento que, según la tradición china, debe servirnos para comprender y saber cómo armonizar nuestra casa. Gracias a esta especie de plano descubriremos cómo se divide nuestro hogar en ocho elementos distintos que afectan a toda nuestra existencia.

Una figura octogonal

El Bagua es el mapa de la energía. De forma gráfica, es una figura octogonal que contiene ocho trigramas, aunque para poder facilitar su aplicación, los estudiosos del Feng Shui convierten este octógono en una figura cuadrada.

Los significados de la casa

Según la filosofía oriental, con este mapa se puede saber el significado de cada parte de nuestra casa para conseguir una vida más armónica. Para ello, superpondremos el plano de nuestra casa al mapa Bagua e incluiremos todos los elementos de nuestro hogar.

vamos a aprender...

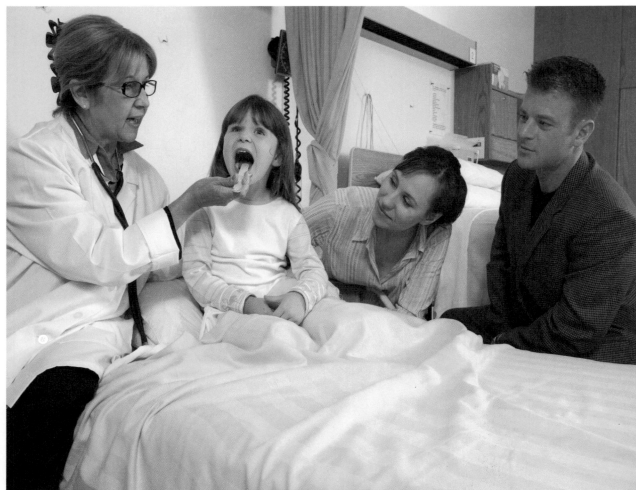

▶ El **uso** del mapa Bagua

Es importante saber que este mapa se puede aplicar a cualquier tipo de vivienda, desde edificios hasta casas unifamiliares. Además, también se puede utilizar para los muebles.

Si nuestro hogar tiene forma cuadrada, coincidirá de forma exacta con el mapa Bagua. Pero si nuestra casa tiene una planta distinta, como por ejemplo en forma de L, tampoco hay que preocuparse, ya que, aunque algunas zonas del Bagua quedarán en el exterior, pueden buscarse soluciones.

Una vez tengamos el plano de la casa claro, el siguiente paso es conocer el significado de cada zona Bagua. Es decir, hemos de saber qué quiere expresarnos cada sector, los colores que lo representan e, incluso, qué tipo de muebles y elementos se deben poner para conseguir la armonía que pretendemos alcanzar.

[31] **Familia** y salud

Saber la orientación de nuestra casa es importante para el Feng Shui.

SEGÚN LA FILOSOFÍA ORIENTAL, LOS NUEVE SECTORES DEL MAPA BAGUA SON LOS SIGUIENTES: SECTOR DE LA FORTUNA Y LA PROSPERIDAD; DE LA FAMA Y LA REPUTACIÓN; DEL AMOR Y LA PAREJA; DE LA FAMILIA Y LA SALUD; DE LOS HIJOS Y LA CREATIVIDAD; DE LOS ESTUDIOS Y CONOCIMIENTOS; DE LA CARRERA PROFESIONAL; DE LOS MENTORES, VIAJES Y AMIGOS; Y, POR ÚLTIMO, EN EL CENTRO SE SITÚA EL EQUILIBRIO Y LA SALUD.

El sector de la familia y la salud, que también recibe el nombre de trueno, se relaciona con los comienzos y con la energía. Este trigrama intenta que reforcemos nuestra vida para estar preparados ante los cambios inesperados que se producen durante toda nuestra existencia.

Afecta a la familia, incluidos los antepasados, de los que heredamos parte de nuestra forma de ser.

Como sabemos, para los chinos la familia es muy importante. Así pues, en este trigrama la filosofía oriental intenta hacernos entender que si no estamos en armonía con nuestros allegados podemos provocar un desequilibrio en el Feng Shui.

También está relacionado con la salud: si nos falta esta zona en nuestro hogar, provocaremos una carencia de salud y tendremos inclinación a sufrir accidentes. Asimismo, la tradición china y el Feng Shui nos enseñan que si en la zona de la casa donde se localiza este sector hay basura, cosas rotas o muchos objetos colocados de forma desordenada, esto provocará que tengamos asuntos sin resolver en nuestra vida y muchas dificultades para comenzar algo nuevo.

▶ El sector **trueno**

El sector trueno tiene que ver con el elemento madera, aspecto visto en el capítulo anterior. Por lo tanto, habrá que evitar en estas zonas todos aquellos objetos que tengan elementos de metal o tonalidades blancas.

Para mejorar el equilibrio que propugna el Feng Shui de las zonas de nuestra casa identificadas con este sector, habrá que introducir objetos relacionados con la familia, desde fotos hasta objetos heredados. Así conseguiremos mejorar la salud y el comienzo de proyectos nuevos.

En cuanto a los elementos decorativos que se deben poner en el sector trueno, el Feng Shui nos recomienda decorar la habitación con plantas. Pero éstas tienen que lucir bien cuidadas, ya que si están enfermas o muertas se desarrollará una energía negativa. Asimismo, también habrá un desequilibrio si las plantas son cactus o tienen espinas.

Además, el Feng Shui nos recomienda poner un acuario pero, al igual que las plantas, tiene que estar bien cuidado y limpio.

▶ Si en nuestra casa hay elementos metálicos y objetos realizados con el elemento tierra, como la arcilla o la porcelana, tendremos una vida próspera. También es aconsejable usar tonalidades grises y doradas.

[32] **Fortuna** y prosperidad

EN EL MAPA BAGUA, EL SECTOR DE LA FORTUNA Y LA PROSPERIDAD, TAMBIÉN LLAMADO VIENTO, SE RELACIONA CON EL DINERO, LA ECONOMÍA FAMILIAR Y CON ALGO MÁS SUBJETIVO COMO ES QUE UNA PERSONA SE SIENTA PLENA Y AFORTUNADA.

Decorar el sector de la fortuna y la prosperidad de nuestro hogar con colores crema atrae riqueza.

Para el Feng Shui, si este sector no existe en una casa será muy negativo para las personas que viven en ese hogar, ya que no tendrán una solidez económica ni buena suerte para conseguirla.

Por esta razón, si en esta zona del mapa Bagua hay un cuarto de baño se producirá un gran desequilibrio, pues el Feng Shui cree que el dinero se escapa por el inodoro.

Si no se puede cambiar el aseo de sitio o el inodoro de lugar, este arte oriental recomienda neutralizar los efectos negativos que puede producir esta habitación con una serie de consejos.

Asimismo, el Feng Shui recomienda colocar en esta zona objetos de color púrpura o dorado para aumentar la riqueza de la familia.

El Bagua, que originariamente se representaba con un octógono, se empezó a estudiar como un cuadrado dividido en nueve secciones. En el centro se sitúa el sector del equilibrio y la salud, también llamado por su ubicación centro. Simboliza la unión de todas las fuerzas y todos los sectores. Por esta razón, representa la salud de las personas que viven en la casa pues influye en todos los aspectos de la vida.

ortuna y osperidad	Fama y reputación	Amor y pareja
RATITUD	INTEGRIDAD	RECEPTIVIDAD
Salud y familia	Equilibrio y salud	Creatividad e hijos
FUERZA	ARMONÍA	ALEGRÍA
studios y ocimiento	Carrera profesional	Mentores, viajes y amigos
NQUILIDAD	PROFUNDIDAD	SINCRONIZACIÓN

▌ El sector de la **fortuna**

Si al superponer el plano de nuestra casa al mapa Bagua nos diéramos cuenta de que no tenemos este sector o que coincide con el garaje, las consecuencias para las personas que viven en esa casa serían muy negativas, ya que no tendrán ayuda para llevar a cabo sus proyectos.

▌ **Consejos** Feng Shui

El Feng Shui recomienda que las zonas de la casa que coincidan con el sector del equilibrio y la salud estén despejadas y ordenadas, que se utilicen colores suaves, como el amarillo, y que se coloquen plantas. En cuanto al llamado sector de los mentores, viajes y amigos, el mapa Bagua lo relaciona con el cielo y la suerte. Los amigos son muy importantes para que una persona se desarrolle plenamente, son una parte fundamental para el equilibrio personal. Al igual que en el sector de la fortuna y la prosperidad, el Feng Shui

considera muy negativo que esta zona coincida con el cuarto de baño de una casa. Si se da esta situación, las recomendaciones del Feng Shui son reforzar la zona de estar y el dormitorio. Conviene colocar objetos metálicos o realizados con el elemento tierra. También se aconseja usar tonalidades grises y doradas.

[33] **Hijos** y creatividad

EL SECTOR DE LA CREATIVIDAD Y LOS HIJOS ESTÁ RELACIONADO CON LA ALEGRÍA Y EL CONCEPTO DE LAGO; MIENTRAS EL SECTOR DE LOS ESTUDIOS Y CONOCIMIENTOS SE RELACIONA CON EL CONCEPTO DE MONTAÑA EN EL MÍTICO MAPA BAGUA.

El sector lago es muy importante pues favorece la fertilidad, la creatividad y la alegría familiar.

Tal y como explica la filosofía oriental, la creatividad es imprescindible en la vida de los seres humanos.

El sector lago está vinculado al elemento metal. El Feng Shui afirma que si este sector no existe en nuestra casa, tendremos problemas de fertilidad e incidirá negativamente en la creatividad y en la alegría de la familia.

Si la pareja que vive en la casa donde se aplica el mapa Bagua quiere tener hijos, se deben introducir objetos que hagan referencia a la fertilidad. Por otra parte, si queremos potenciar la creatividad tendremos que colocar objetos que amplíen nuestra capacidad creativa, es decir, objetos artísticos.

El mapa Bagua nos dice que las estancias más propicias para este sector son la cocina, el cuarto de baño, un taller o despacho y el cuarto de juegos para los niños, ya que, de esta forma, se potenciarán la alegría y las iniciativas creativas.

▶ El sector de la **montaña**

El estudio y los conocimientos ocupan el sector de la montaña en el mapa Bagua. Este sector es muy importante para el Feng Shui ya que si una casa carece de él no tendrá quietud ni tranquilidad y provocará una gran negatividad, que generará agitación entre las personas que habitan la vivienda.

Para ampliar y mejorar el sector de la montaña, el Feng Shui nos recomienda introducir los elementos agua y tierra. Este sector también está relacionado con el aprendizaje. Si colocamos objetos que tengan que ver con el saber, como los libros, el Feng Shui afirma que aumentaremos nuestra sabiduría.

Por esta razón, las habitaciones que mejor representan a este sector del mapa Bagua son el despacho, la biblioteca y el dormitorio, ya que simbolizan quietud y descanso; es decir, son zonas perfectas para la reflexión y la tranquilidad, aspectos muy importantes en esta sección.

Fama y reputación

El sector fuego del mapa Bagua ayuda a que nos formemos una buena reputación.

EL SECTOR DE LA FAMA Y LA REPUTACIÓN ESTÁ ASOCIADO CON EL FUEGO; LA CARRERA PROFESIONAL, CON EL AGUA; Y EL AMOR Y LA PAREJA, CON LA TIERRA. EL FENG SHUI AFIRMA QUE, GRACIAS A ESTAS ZONAS, CONSEGUIREMOS FAMA Y MEJORAREMOS NUESTRO RECONOCIMIENTO LABORAL Y SITUACIÓN PERSONAL.

Si en nuestra casa no existe el sector de la fama al superponer el plano y el mapa Bagua, sufriremos muchos efectos negativos, ya que habrá un desequilibrio en la reputación y en la trayectoria profesional de los moradores de la casa.

Si este sector coincide con el cuarto de baño, esta habitación debe estar en perfectas condiciones, es decir, no debe tener humedades ni una ventilación deficiente o una iluminación escasa.

Pero si conseguimos que la estancia sea agradable y esté limpia, no ha de ser un obstáculo para nuestra carrera.

Asimismo, si queremos mejorar nuestra fama, el Feng Shui aconseja que estas zonas sean muy cálidas y que estén muy iluminadas, porque son áreas representadas por el elemento fuego.

Por supuesto, también deben ser estancias muy ordenadas y limpias, y que no tengan zonas en penumbra.

▶ **Tejidos** y estancias

Los tejidos que podemos utilizar para potenciar y enriquecer nuestra autoestima, muy relacionada con la fama, son los de origen natural. Además, tendremos que pintar las estancias o tener objetos de color rojo y naranja. Las habitaciones más favorables para este sector del mapa son las cocinas, por su relación con el fuego, y los despachos, por su relación con la creatividad y el trabajo.

Si la vivienda que se está analizando con el mapa Bagua no tiene el sector del trabajo y la carrera profesional, tendremos muchas dificultades para encontrar la profesión idónea.

TENGA EN CUENTA QUE...

‣ El Feng Shui recomienda potenciar el elemento agua en el dormitorio, ya que de esta forma se reforzará el descanso, muy importante para desarrollar un trabajo satisfactorio.

‣ También es muy positivo que el cuarto de baño esté cerca del dormitorio, pero siempre que sea una habitación amplia y luminosa.

‣ En el mapa Bagua el sector del amor y la pareja se relaciona con la tierra. Este sector nunca debe faltar en una casa. Si existe un desequilibrio en esta zona del mapa, lo mejor, según el Feng Shui, es que en esa vivienda no viva una pareja, ya que sufriría falta de comunicación y muchos problemas que podrían causar su separación.

‣ Para mejorar o potenciar el sector del amor y la pareja, lo más adecuado es poner objetos relacionados con la tierra, utilizar cojines y colchas, y poner parejas de muebles, como por ejemplo, dos lámparas, dos cajitas, etc.

CAPÍTULO 8

Feng Shui para el jardín

¿CUÁLES SON LOS BENEFICIOS DE TENER UN JARDÍN EN NUESTRA CASA? EL FENG SHUI RESPONDE A ESTA PREGUNTA Y PRETENDE AYUDARNOS A CONSEGUIR UN ESPACIO ARMÓNICO Y EQUILIBRADO. ESTO NO SIGNIFICA QUE TENGAMOS QUE VIVIR EN UN CHALET, YA QUE INCLUSO LAS PLANTAS DE IN-TERIOR PUEDEN HACER LAS VECES DE UN JARDÍN. LO IMPORTANTE ES QUE ESTÉ EN PERFECTAS CON-DICIONES PARA ALCANZAR EL EQUILIBRIO Y LA ARMONÍA.

vamos a aprender...

Elementos Feng Shui en el jardín

Según la filosofía oriental, una casa estará protegida si tiene los cinco elementos del mapa simbólico, es decir, el plano de los cinco animales celestiales.

Para la tradición china, el hogar estará resguardado si en la parte posterior, o lado de la tortuga, hay un promontorio que le ofrezca protección.

El ave fénix

Otro elemento importante es el ave fénix. Para el Feng Shui significa que las casas deben tener el espacio delantero despejado. El lado del dragón, en la parte izquierda de nuestra vivienda, representa el agua. Este elemento no debe estar estancado ya que, entonces, generará efectos negativos.

El lado del tigre

En cuanto al lado del tigre, debe ocupar la parte derecha. Al representar el fuego, que significa siempre algo peligroso, debe ser la zona más tranquila.

Por último, existe otra zona de la casa representada por la serpiente y, al igual que la del tigre, debe ser una zona tranquila, sin mucho movimiento.

[35] Un **jardín** Feng Shui

¿CÓMO APLICAR LOS CINCO ELEMENTOS EN NUESTRO JARDÍN? SI TENEMOS EN CUENTA ESTOS ELEMENTOS TRANSMITIDOS POR LA TRADICIÓN ORIENTAL, UNA CASA CON JARDÍN DEBERÁ ESTAR PROTEGIDA EN LA PARTE TRASERA POR UNA MONTAÑA O UNA ZONA ELEVADA QUE SEA MAYOR QUE LA VIVIENDA.

Las montañas o los árboles altos situados detrás de nuestra vivienda protegerán nuestro hogar.

Según el Feng Shui, si la parte trasera del jardín de una casa no tiene una zona elevada que simbolice el lado de la tortuga, se puede solucionar poniendo árboles altos para conseguir así estar protegidos. También se puede crear un promontorio artificial de tierra que se apoye en unas rocas y plantar arbustos y flores, ya que estos dos elementos ayudan a alcanzar un buen equilibrio y aseguran la armonía.

El lado izquierdo del jardín, representado por el dragón, tiene que estar rodeado por árboles medianos. La zona derecha debe ser un lugar muy tranquilo y, por esta razón, se deben plantar arbustos pequeños y plantas muy bajas.

▶ El **jardín** en Occidente

En nuestras ciudades es muy difícil conseguir que las casas reúnan los cinco elementos; sin embargo, si logramos un diseño armónico del jardín, terraza o balcón de la casa, sus habitantes podrán tener la protección deseada.

Los jardines occidentales no se parecen en nada a los orientales por lo que si deseamos conseguir la armonía y el equilibrio necesarios, deberemos adecuar estas enseñanzas a nuestras costumbres y, por supuesto, a las plantas que crecen mejor en nuestro país o localidad.

▶ Un jardín **armónico**

Según el Feng Shui, para que nuestro jardín sea un espacio armonioso y mejore nuestra vida, las plantas no han de estar marchitas o muertas, ya que atraerán una energía negativa.

Podemos crear un jardín muy armónico si en una misma maceta colocamos distintos tipos de plantas, ya que conseguiremos que entre todas se repartan la humedad.

TENGA EN CUENTA QUE...

▶ En la zona de la entrada hay que colocar piedras en los bordes o plantar césped; éste siempre debe estar en perfectas condiciones.

▶ La zona de la tortuga ha de tener árboles altos y frondosos de hoja perenne.

Planificar el jardín

Un jardín armonioso tendrá una distribución ordenada y sus plantas lucirán bien cuidadas.

LA FILOSOFÍA ORIENTAL NOS RECUERDA QUE EL MAPA BAGUA TAMBIÉN DEBE APLICARSE AL JARDÍN, PERO... ¿CÓMO SE USA?

Si el jardín está en la parte trasera de la casa y para acceder a él hay que pasar por la vivienda o por el garaje, el arte del Feng Shui nos recomienda aplicar el mapa por separado, es decir, primero en la casa y después en el jardín.

En cambio, si está en el interior por tratarse, por ejemplo, de un patio, el mapa Bagua se puede aplicar de forma conjunta a todo el terreno.

Los expertos en Feng Shui nos recuerdan que un jardín no debe tener líneas rectas ni ser simétrico, sino que debe estar compuesto de formas curvas o circulares. Asimismo, si está pavimentado, el suelo nunca deberá ser desigual y tampoco tendrá que estar fragmentado en trozos pequeños.

El jardín debe transmitir paz y serenidad para conseguir que sea armonioso.

Ningún elemento debe prevalecer sobre otro: nunca pondremos un árbol como centro visual en el jardín ya que no se conseguirá ni la armonía ni el equilibrio deseados.

El Feng Shui aconseja mezclar árboles, arbustos o macizos de flores para que ningún elemento destaque en el espacio.

▶ El **agua** en el jardín

Un elemento capital del jardín Feng Shui es el agua.

El agua constituye un componente importante para este arte milenario, razón por la que la colocación de una piscina o un jacuzzi en el jardín debe hacerse con mucho cuidado. Por ello, siempre debemos pedir a un experto en esta materia que nos aconseje.

Según el Feng Shui, es recomendable colocar la piscina en la parte delantera de la casa.

◗ El **diseño** es clave en el jardín Feng Shui

Ciertos adornos y muebles, como las pérgolas y los cenadores, deben colocarse y ser diseñados de forma muy cuidadosa para que no se rompa la armonía que hemos logrado en el espacio en cuestión. Además, para poder plantar los arbustos, árboles y flores adecuados se debe hacer un estudio de la topografía y del tipo de suelo del jardín.

De esta forma, se crearán las condiciones más favorables para cultivar y desarrollar la buena suerte.

◗ El **diseño** del jardín

Desde la antigüedad, los jardines orientales han querido reproducir la naturaleza y, para conseguirlo, siempre han empleado materiales que nos la recordaran; así lograban espacios armoniosos que transmitían una sensación de tranquilidad.

Para diseñar un espacio verde, según los principios del Feng Shui, hay que introducir elementos naturales y ubicarlos en los lugares adecuados. Por este motivo, nunca deben faltar rocas, plantas, macetas, esculturas y agua.

◗ Los **puentes** en el jardín

Si decidimos poner este elemento decorativo en nuestro jardín, debemos saber que no es necesario que se coloque sobre agua.

Una premisa importante a la hora de poner un puente es que nunca debe estar orientado hacia la casa, ya que podría provocar un exceso de energía en la vivienda. Si el puente se coloca correctamente, la energía fluirá de forma adecuada por el jardín y la casa.

RECUERDE QUE...

◗ Lograr la armonía y el equilibrio entre el Yin y el Yang es el objetivo de cualquier jardín adecuado a la filosofía Feng Shui.

◗ En un jardín, el Yang se encarna en el agua y la luz. En cambio, el Yin lo hace en las rocas o las montañas.

[37] Otros **elementos**

EL FENG SHUI NO OBLIGA A PONER EL MISMO TIPO DE PLANTAS SIEMPRE. DEJA BASTANTE LIBERTAD AL DISEÑADOR O JARDINERO, PERO SÍ ACONSEJA DISEÑAR EL JARDÍN CON UN CRITERIO PRÁCTICO.

En la entrada al jardín deberemos colocar objetos relacionados con la familia, pues mejoraremos la salud y los nuevos proyectos.

Cada uno de los elementos del jardín tendrá su espacio fijo; es decir, los arbustos, los árboles y las plantas aromáticas han de tener su lugar adecuado para no romper la armonía.

Cuando nuestros amigos o demás visitas accedan al jardín de nuestra casa, es muy importante que la entrada les dé la bienvenida. Para conseguir esta buena sensación tiene que quedar muy bien diferenciada la casa del exterior. El acceso al jardín nunca debe ser recto y las plantas no deben bloquearlo. Asimismo, los materiales con los que se construya el camino deben ser similares a los de la casa o combinarse de una forma armónica.

Todos los elementos artificiales que están en el jardín, como las alcantarillas, las farolas o los postes eléctricos, tienen que ser colocados de una forma adecuada para que las energías que rodean la vivienda sean óptimas. Por ello, es aconsejable ocultar los postes con plantas.

▶ El **mobiliario** del jardín

De la misma manera que los caminos del jardín deben ser curvilíneos según el Feng Shui, también los muebles que incluyamos en este entorno deben tener formas curvas y sin salientes agudos que puedan provocar un desequilibrio en la energía de la casa.

▶ Un **acuario** o una fuente en el jardín

En un jardín, el elemento agua es fundamental para generar riqueza. Por esta razón, colocar un estanque siempre será propicio. Según algunos estudiosos, no importa que en su interior no haya peces, pues su sola colocación ya resulta positivo. Sin embargo, otros opinan lo contrario y especifican que los peces deben ser de color dorado o plateado para atraer riqueza. Todos coinciden, eso sí, en que el agua debe estar límpida y transparente, nunca estancada. Los peces pueden ayudar a conseguir esto, pero aun así nosotros deberemos vigilarla y mantenerla en buen estado.

También se pueden introducir algunas tortugas en el estanque ya que éstas, según el Feng Shui, representan la longevidad y la estabilidad.

▶ Elementos **decorativos**

Es aconsejable el uso de columnas para decorar el jardín. En cambio, no lo es la presencia de pilares; si los hubiera, se aconseja cubrirlos con enredaderas.

También hay que estudiar la dirección del viento, ya que tanto su sentido como su fuerza determinarán las zonas del jardín que deberán ser protegidas del mal tiempo en las distintas estaciones del año.

[38] Las **plantas** adecuadas

El bambú chino se caracteriza por su larga vida.

EL FENG SHUI NO ESTABLECE NINGUNA REGLA FIJA A LA HORA DE ELEGIR LAS PLANTAS, LOS ÁRBOLES O LAS FLORES QUE SE DEBEN PLANTAR EN UN JARDÍN. LO ÚNICO QUE ACONSEJA ES QUE SEAN LAS QUE MÁS NOS GUSTEN Y QUE SIEMPRE ESTÉN SANAS. SIN EMBARGO, PODEMOS MENCIONAR UNA SERIE DE ÁRBOLES Y PLANTAS QUE EL FENG SHUI PREFIERE, BIEN POR SU SIGNIFICADO BIEN POR EL EQUILIBRIO QUE REPRESENTAN.

Para la filosofía oriental, los pinos y los bambús representan la longevidad y la nobleza, mientras que la planta de jade y la malanga simbolizan la prosperidad y se suelen utilizar en la parte delantera del jardín.

Por último, no podemos olvidar los árboles frutales, como el cerezo, que representa la vitalidad y la fortuna.

Dentro de las flores recomendadas para un jardín Feng Shui, la peonía es la flor más utilizada pues simboliza el amor y la belleza femenina.

También suele emplearse a menudo el crisantemo amarillo ya que simboliza la fluidez de la vida y la longevidad.

En cuanto a la flor de loto, una planta que puede crecer en los estanques sucios, se utiliza para representar la pureza y la verdad. La orquídea también es muy aconsejable para los jardines, ya que representa al caballero elegante.

❱ El **aroma** de las plantas

Muchas de las plantas utilizadas en los jardines Feng Shui lo son por el perfume que despiden, ya que esta cualidad genera un ambiente repleto de armonía.

Según la tradición china, el Chi circulará mejor si es transportado por olores agradables.

❱ **Algunas** sugerencias

Pese a que no debemos olvidar que en los jardines hay que cultivar las plantas y flores que mejor se adecuen al clima y al tipo de suelo de la zona donde vivimos, a continuación enumeraremos algunas de las plantas que mejor se adaptan al Feng Shui. Los chinos utilizan en sus jardines el jazmín, la magnolia, el almendro, el ginseng, el abeto, la rosa, el romero, el melocotonero, el laurel, el poleo, el lirio, el limonero, el naranjo, la flor de té, el pino, el olmo y la manzanilla, entre otras plantas.

RECUERDE QUE...

❱ Lo más aconsejable a la hora de planificar el jardín es observar nuestro entorno más inmediato y, sobre todo, cuidar la naturaleza que nos rodea.

❱ La manzanilla, con numerosas propiedades curativas, es una de las plantas más utilizadas en los jardines chinos.

39

Feng Shui para el jardín

COMPONER UN JARDÍN SEGÚN LAS NORMAS DEL FENG SHUI ES UNA TAREA SENCILLA SI SEGUI-
MOS EL PRINCIPIO DEL EQUILIBRIO Y LA ARMONÍA. LOS ESPACIOS VERDES DEBERÁN CONTAR, ADE-
MÁS, CON OBJETOS DECORATIVOS Y PLANTAS QUE REPRESENTEN CADA UNO DE LOS CINCO ELE-
MENTOS.

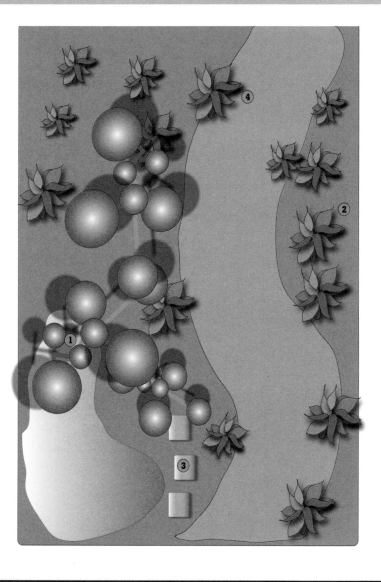

▶ Jardín sin Feng Shui

Los espacios verdes que presentan una
imagen caótica, con una vegetación poco
cuidada y elementos que nos hacen sentir
incómodos a la hora de pasear o de
detenernos, no siguen las normas del
Feng Shui.

1 UNA DISTRIBUCIÓN INCORRECTA
*Un jardín que no sigue las
recomendaciones del Feng Shui ofrece
una imagen desordenada. Una
distribución incorrecta de sus elementos
invitará a abandonarlo al poco tiempo
de entrar en él.*

2 VEGETACIÓN DESCUIDADA
*Las plantas no reciben los cuidados
necesarios.*

3 LA FALTA DE COMODIDAD
*Podemos observar una ausencia de
elementos decorativos que nos hagan
sentir cómodos en el jardín.*

4 OBSTÁCULOS EN EL CAMINO
*Las plantas que interfieren en el
camino ofrecen una imagen caótica a
la par que dificultan el tránsito.*

Las plantas sanas y cuidadas nos transmiten una sensación de bienestar.

Los estanques o las fuentes hacen posible la presencia del elemento agua en el jardín.

Una vegetación variada es uno de los consejos que debemos seguir para lograr un jardín Feng Shui.

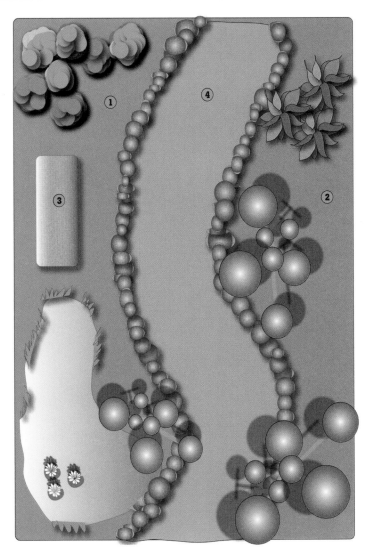

▶ Jardín con Feng Shui

Un jardín Feng Shui ofrece a la vista un espacio ordenado y bello. Ningún elemento tendrá prioridad sobre otro y podrá pasearse por toda su extensión. Además, el visitante disfrutará de una sensación de confort mientras permanezca en él, o bien sentado en bancos sencillos y cómodos o paseando por un camino. Los elementos agua, fuego, madera, metal y tierra se combinan en este espacio verde y armónico.

① UNA BUENA DISTRIBUCIÓN
Los elementos que componen este tipo de jardín se dispondrán respetando un orden que no conceda un protagonismo desmedido a ninguno de ellos.

② VEGETACIÓN CUIDADA
Como principio general, la vegetación deberá estar bien cuidada, tanto en la forma como en la distribución y en la variedad.

③ LA COMODIDAD
Los elementos decorativos del jardín han de elegirse y colocarse en función de la comodidad que esperamos obtener de ellos.

④ UN CAMINO SINUOSO
El trazado del camino en un jardín Feng Shui ha de permitirnos cruzar la totalidad del espacio. Además, su forma será siempre sinuosa, de manera que fluyan las energías vitales.

CAPÍTULO 9

El **acceso** al hogar

La filosofía oriental analiza cada casa como si se tratara de un cuerpo humano. De esta manera, la puerta principal y las ventanas son la boca y los ojos, respectivamente, y por ellas fluye la energía o Chi. Los otros elementos de la casa, como los pasillos, las puertas interiores o los objetos, también tienen que servir para que la energía fluya de una manera adecuada. Si por alguna causa el Chi no se distribuye bien, el Feng Shui nos dará las soluciones para repararlo.

vamos a aprender...

La puerta principal

El Feng Shui explica que esta puerta es la más importante de una casa, ya que por ella entra y fluye la energía. La puerta principal es lo primero que se debe analizar al estudiar una casa. Además, se deben tener en cuenta los elementos que están junto a ella, como el zaguán, el porche o el camino de acceso a la entrada de la vivienda.

Las características

En cuanto a las características de esta puerta principal, para el Feng Shui debe ser amplia y estar cuidada. De esta forma, se producirá una sensación positiva que se transmitirá a las personas que acudan a la casa. En cambio, si se encuentra descuidada, rota o sucia, se conseguirá el efecto contrario. Sólo transmitirá energías negativas y atraerá la mala suerte.

La orientación

Los dormitorios, la cocina y los cuartos de baño deben mantenerse lejos de la puerta principal, pues sería desfavorable para los habitantes de la casa.

▌ Los **recibidores**

Como su nombre indica, su función es recibir a las personas que vienen a la casa y, por esta razón, deben ser acogedores, muy luminosos y cálidos.

Si decidimos poner un espejo en esta estancia, éste nunca deberá enfrentarse a la puerta principal, porque impide el paso del Chi a la casa.

Asimismo, los recibidores deben estar libres de objetos que obstaculicen el paso y puedan provocar accidentes.

Por supuesto, al igual que el resto de estancias de la casa, tienen que estar limpios y ordenados.

El Feng Shui nos recuerda que si el recibidor es pequeño hay que darle profundidad, para evitar la sensación de ahogo, con una iluminación adecuada y con espejos colocados en los laterales.

▌ La **orientación** de la puerta principal

Como sabemos, la filosofía milenaria Feng Shui busca la armonía de todos los elementos y estructuras que forman una vivienda para conseguir la felicidad y tener calidad de vida, que sólo obtendremos si logramos equilibrar nuestro Chi.

Por ello, hay tres habitaciones que si están cerca de la puerta principal puede ser muy desfavorable para conseguir que los habitantes de una casa tengan suerte. Estas habitaciones son la cocina, un dormitorio o un cuarto de baño.

▌ El **acceso** a la puerta principal

El Feng Shui recomienda que antes de llegar a la puerta principal de una casa haya un camino ancho circular o semicircular. Si el camino es recto, lo mejor es poner flores, arbustos y plantas a los lados para mejorar el acceso de la energía. Asimismo, la tradición oriental recomienda evitar que en este acceso haya elementos que obstaculicen el paso. Cuando el acceso a la puerta se hace a través de un porche, los pilares que lo sujetan no deben ser muy grandes y, bajo ninguna circunstancia, cuadrados.

En un bloque de viviendas, el Feng Shui recomienda que las puertas sean iguales y que estén enfrentadas. Además, es muy positivo poner un felpudo que dé la bienvenida a las visitas.

40

Las **formas** de distribución

Hay que cuidar la colocación de elementos decorativos en el recibidor porque pueden dificultar el paso.

LAS VIVIENDAS CON FORMA DE L O U, MUY HABITUALES EN LA CULTURA OCCIDENTAL, SON, PARA EL FENG SHUI, DISTRIBUCIONES QUE ORIGINAN MUCHOS PROBLEMAS, QUE DESEQUILIBRAN EL CHI DEL HOGAR Y DE LOS QUE VIVEN ALLÍ. PERO COMO MUCHAS VECES NO SE PUEDE CAMBIAR EL PLANO DE LA VIVIENDA, EL FENG SHUI NOS OFRECE UNA SERIE DE SOLUCIONES PARA EQUILIBRAR LAS ENERGÍAS Y DE ESTA FORMA CONSEGUIR QUE EL CHI FLUYA DE UNA MANERA DELICADA Y SUAVE.

Para la filosofía oriental, es

importante que en nuestras viviendas haya simetría. La distribución en forma de L se considera un rectángulo incompleto y, por tanto, una forma imperfecta.
El Feng Shui recomienda que si la forma de nuestra casa es ésta, lo mejor es tener un jardín con un árbol para equilibrar las fuerzas.

Sin embargo, en las viviendas de las grandes ciudades es difícil aplicar esta solución; por este motivo se ofrece otra opción para lograr la mejora del Chi: colocar un espejo en la entrada, siempre y cuando no esté enfrentado a la puerta.
Otro factor que debemos tener en cuenta es que nunca debemos colocar un horno o una cama en el palo largo de la L.

❱ Distribución en **forma de U**

Las casas con forma de U tampoco son propicias para que la energía fluya bien. El arte oriental de la armonía considera que es muy negativo que la puerta de entrada a la vivienda esté situada en la parte inferior de la U. Lo mejor para estos casos sería cambiar la posición de la puerta, pero si esto no es posible se puede poner un móvil sonoro. Si hablamos de un dormitorio principal en forma de U, el Feng Shui advierte que puede ser muy negativo para las relaciones de pareja. Por eso se recomienda que se le dé otro uso a esta habitación.

RECUERDE QUE...

❱ Los espejos sustituyen al árbol en caso de que no haya jardín para equilibrar las fuerzas en los hogares con una distribución en forma de L.
❱ El móvil sonoro ayuda a que la energía fluya bien si la puerta de entrada se encuentra en la parte inferior de la U.

[41] El **corazón** de la casa

Los interruptores de la luz tienen que estar bien limpios para que la energía circule de una manera adecuada.

EL CENTRO DE LA CASA, SEGÚN LA TRADICIÓN ORIENTAL, ES EL CORAZÓN, TAMBIÉN LLAMADO EL CENTRO CHI. NORMALMENTE, SE ENCUENTRA EN LA INTERSECCIÓN DE LAS LÍNEAS DIAGONALES PRINCIPALES DE LA VIVIENDA.

PARA EL FENG SHUI, SI LA CASA TIENE UNA ESTRUCTURA IRREGULAR, PARA ENCONTRAR EL CENTRO SE TIENEN QUE TRAZAR LAS LÍNEAS COMO SI FUERA UN POLÍGONO.

ESTE CENTRO, SEGÚN LA FILOSOFÍA ORIENTAL, ES LA ZONA MÁS ESPIRITUAL DE LA VIVIENDA Y DEBE SER TRATADA CON MUCHO CUIDADO.

Si el centro de la casa está debilitado podría provocar todo tipo de problemas y conflictos a los residentes de esa vivienda.

Uno de los problemas mayores para el corazón de una casa es poner la cocina en el centro, ya que en esta habitación hay fuego y objetos afilados que pueden potenciar los peligros.

Tampoco es recomendable que en el centro de la casa esté el cuarto de baño, ya que en esta estancia se tratan residuos y hay desagües, lo que puede traer la mala suerte y la pobreza.

Es muy conveniente que en el corazón de la casa todos los miembros de la familia que la habitan estén representados, por ejemplo, con fotografías.

▶ El **tamaño** de las puertas

Las puertas deben estar proporcionadas con el resto de la casa. Si una puerta es más grande en proporción que la habitación a la que da paso, habrá que colocar un elemento pesado cerca del marco; por ejemplo, un macetero. En cambio, si es más pequeña en proporción, podemos o bien hacerla más grande o bien colocar un espejo en la puerta para dar la sensación de amplitud y mayor movilidad.

▶ **Puertas** sin obstáculos

El Feng Shui nos explica que para que la energía fluya de una manera adecuada en una casa, es imprescindible que no haya ningún elemento que obstaculice la entrada por la puerta y que, además, ésta se debe abrir por completo. Las puertas tienen que estar limpias y sin desperfectos. Si por alguna razón los tuviera, hay que arreglarlos cuanto antes. Además, siempre deberán estar bien iluminadas y los interruptores de la luz ubicados a su lado tienen que mantenerse limpios.

▶ No es conveniente que el cuarto de baño esté en el centro de la casa. Puede traer mala suerte y pobreza.

▶ Si el recibidor es pequeño, una buena iluminación ayudará a evitar la sensación de ahogo.

▶ Si el acceso a la vivienda se encuentra en mal estado, transmitirá energías negativas y mala suerte.

▶ Dónde **colocar** las puertas

Es aconsejable que la puerta se pueda abrir del todo. Por otra parte, no deberíamos tener una puerta para acceder a un pasillo, ya que puede derivar en problemas de salud relacionados con el estómago o respiratorios.

Al mismo tiempo, si la puerta da a una pared, esto puede provocar que la energía no circule bien, pues esta entrada sería como un muro que impediría su paso. La solución por la que se puede optar es colocar espejos, pinturas o flores.

[42] La **arquitectura** interior

LAS VENTANAS SON LOS OJOS QUE NOS PERMITEN VER EL EXTERIOR. POR ESTA RAZÓN, NUNCA DEBEREMOS TENER UN CRISTAL ROTO. SI POR ALGUNA CAUSA SE HA FRAGMENTADO HAY QUE SUSTITUIRLO DE INMEDIATO.

Para no favorecer la timidez en las personas de la casa, es recomendable que las ventanas se abran hacia fuera.

El Feng Shui recomienda que lo que veamos a través de las ventanas sea bonito y agradable a la vista. Estas estructuras de la casa siempre tienen que estar limpias y nunca rotas.

Asimismo, tienen que abrirse hacia fuera ya que si la apertura es hacia dentro puede causar timidez en los habitantes de la casa. Pero, ¿dónde poner las ventanas? Es recomendable que no estén enfrentadas a una puerta. Si esto ocurriera, la tradición oriental de la armonía sugiere poner cortinas para que la energía Chi fluya de manera adecuada.

Por otra parte, los muebles que se colocan al lado de las ventanas ayudan a que el Chi fluya de una manera equilibrada.

Otro apartado importante es la orientación de las ventanas. Como regla general, las que están orientadas al oeste pueden causar problemas serios a los residentes de una casa, ya que entraría demasiado sol.

Las **vigas**

Este elemento estructural de una casa es muy negativo y, actualmente, la tendencia es dejarlas a la vista. La negatividad se debe a que estos elementos ahogan a los habitantes de una casa y pueden provocar claustrofobia. Nunca hay que colocar una cama o una zona de trabajo debajo de ellas. Para contrarrestar su negatividad, podemos taparlas, no poner muebles debajo de ellas, pintarlas con colores claros o, sencillamente, ubicar varios puntos de luz.

Los **pilares**

Al igual que las vigas, los pilares también son elementos muy opresivos, ya que no dejan que fluya la energía.

La solución más práctica para evitar este efecto negativo es intentar camuflarlos o taparlos bien con un mueble, o con una enredadera si están en el exterior.

Cuando la presencia de un pilar crea un rincón, es recomendable que esté siempre limpio y bien iluminado.

Los **techos**

La filosofía oriental establece diferencias entre los techos altos y los bajos. Ambos tienen características distintas que pueden interferir en el Chi de una casa y, por lo tanto, en el de todos sus habitantes. De esta manera, los techos muy altos (más de tres metros) no son muy recomendables, ya que alteran el equilibrio y nuestro estado anímico, pudiendo provocar problemas familiares. La solución sería colocar unas librerías o una serie de cuadros. Por otra parte, los techos muy bajos ocasionan también

problemas, pues están muy cerca del suelo. Para dar mayor sensación de altura a los techos habría que usar, por ejemplo, pinturas claras.

RECUERDE QUE...

▶ Los techos muy altos o muy bajos no son recomendables, porque pueden provocar problemas en la familia.
▶ Las vigas y los pilares impiden el flujo de la energía.
▶ Puerta y ventana no deben situarse jamás una enfrente de la otra.

▶ Las **esquinas** de una casa

El Feng Shui cree que las esquinas son muy negativas pues desplazan la energía positiva. Por ello, recomienda que nunca queden vacías y que se redondeen si es posible. Además, también pueden ser iluminadas o decoradas con molduras, plantas, cuadros o esculturas.

Los rincones son muy negativos sobre todo si están desordenados y tienen papeles, cajas, bolsas o trastos. Para evitar esta negatividad es aconsejable mantenerlos en orden. Por el contrario, en las habitaciones en las que no hay rincones, el Chi fluye de una manera equilibrada y los habitantes de esa casa están relajados y su vida está llena de alegría.

Las **escaleras**

En la actualidad muchas casas tienen dos o más pisos. Esto tiene efectos negativos en el fluir del Chi por la casa.

Según la filosofía oriental, las escaleras pueden propiciar muchos accidentes, por lo que recomienda que estén bien iluminadas. Deben ser, además, amplias, ya que si las escaleras son estrechas es posible que provoquen ahogo y bloqueen el Chi.

Si tenemos una escalera estrecha hay muchas soluciones, como decorarla con motivos alegres y colocar cuadros.

Las escaleras que tienen mejor Feng Shui son las que describen una suave curva, pero no las de caracol. Si tenemos una escalera con esta característica, lo mejor que se puede hacer es plantar una enredadera, si está en el exterior, e iluminarla bien.

Los **pasillos**

Una primera recomendación para los pasillos es que no deben tener muchos objetos que interfieran el paso de la energía positiva. Otra indicación que da la filosofía oriental es evitar que el pasillo tenga vigas, ya que ahogaría el Chi.

Ha de quedar claro que el Feng Shui apuesta por el equilibrio en todos los sentidos, es decir, espera que nada vaya ni demasiado rápido ni demasiado lento. Por esta razón, los pasillos tienen que tener el tamaño justo.

No deben ser ni demasiado largos ni demasiado cortos. Pero muchas veces no podemos cambiar la estructura del pasillo; si el pasillo es oscuro y demasiado largo, se recomienda utilizar alfombras, plantas, luces o librerías.

Un pasillo demasiado estrecho puede provocar un efecto claustrofóbico cada vez que se pasa por él. Para evitar esta impresión tan negativa, lo mejor es iluminarlo muy bien o colocar algún espejo.

Dónde **ubicar** las escaleras

El Feng Shui recomienda que las escaleras estén a la izquierda; es decir, que cuando salgamos de la casa este elemento estructural quede en esa posición.

Por otra parte, también aconseja que bajo ninguna circunstancia se ubiquen cerca de la entrada principal de la vivienda, ya que lo único que conseguiríamos sería ahogar el Chi. Si las escaleras están situadas en el centro del hogar pueden provocar enfermedades cardíacas.

[43] Una **casa** Yin o Yang

LA FILOSOFÍA ORIENTAL DEL FENG SHUI NOS RECOMIENDA QUE NUESTRA CASA NO SEA NI MUY YIN NI MUY YANG, SINO QUE TENGA UN EQUILIBRIO ENTRE LAS DOS ENERGÍAS. UNA CASA EXCESIVAMENTE YIN ES OSCURA Y DEMASIADO SILENCIOSA, SIN CASI VENTILACIÓN. ADEMÁS, ESTÁ PINTADA CON COLORES MUY OSCUROS Y FRÍOS, COMO EL AZUL O DISTINTAS TONALIDADES DE GRIS.

Los espejos agrandan el espacio en ambientes pequeños y aportan luminosidad a la estancia.

Para contrarrestar la negatividad que generan las viviendas Yin, el Feng Shui aconseja colocar elementos que alegren la casa, como los móviles. Sugiere también dejar que entre el aire e iluminarla con lámparas y velas.

En cambio, una casa demasiado Yang recibe mucha luz y calor, y soporta demasiado ruido. Además, está decorada con muchas plantas y pintada con colores muy fuertes.

Según el Feng Shui, hay que suavizar las tonalidades de la pared de este tipo de viviendas y utilizar campanillas para neutralizar el ruido.

Como hemos visto con anterioridad, los espejos son un elemento de decoración que puede solucionar muchos problemas y que, además, puede ayudarnos a conseguir que el Chi fluya de una forma equilibrada.

Los espejos activan la energía y dan luz a las zonas oscuras. También pueden eliminar los factores negativos que producen distintos elementos, como los pilares, los ángulos y los rincones.

▶ Sin demasiados **espejos**

Sin embargo, hay que recordar que al Feng Shui no le gustan los excesos. Por esta razón, si hay demasiados espejos podemos provocar un exceso de Chi en estancias que deben ser relajantes, como los dormitorios.

En estos casos la solución pasa por quitar los espejos, así no tendremos ningún problema. Además, también es importante que estos elementos reflejen cosas bonitas. Por lo tanto, si lo que se ve en el reflejo es el cuarto de baño habrá que cambiarlo de sitio.

[44] El **acceso** al hogar

El aspecto exterior de nuestra casa ha de cuidarse de forma especial. Una fachada limpia y bien cuidada, con un felpudo delante de la puerta y un recibidor en el que estén presentes los cinco elementos nos permitirá dar una sensación de hospitalidad que invite a entrar en la vivienda.

▶ Distribución incorrecta

Un aspecto exterior descuidado, según las normas de esta filosofía milenaria, nos traerá problemas en nuestras relaciones sociales y, a su vez, puede provocarnos desequilibrio interno.

Una iluminación insuficiente, un mobiliario con esquinas o un espejo enfrentado a la puerta son inadecuados para crear una sensación positiva y permitir el correcto flujo del Chi.

(1) Un aspecto descuidado
Una entrada y un recibidor desordenados y en mal estado de conservación causarán una mala impresión a las visitas y a nosotros mismos.

(2) Muebles con esquinas
Los muebles con ángulos pronunciados situados en la entrada de la casa intimidan y desalientan al que entra en ella.

(3) Espejo frente a la puerta
Situando un espejo delante de la puerta provocaremos que la energía vital que entra por ésta rebote y salga despedida hacia el exterior de la vivienda.

(4) Iluminación insuficiente
La ausencia de una iluminación suficiente creará zonas oscuras negativas.

El recibidor debe estar limpio.

Es importante que nuestro recibidor presente una imagen cuidada.

Una fachada bella y en buen estado nos garantiza una agradable entrada a la casa.

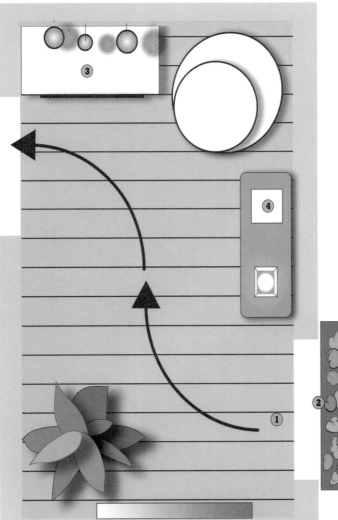

▶ Distribución ordenada

La fachada de la casa y el recibidor deben ofrecer un aspecto cuidado y transmitir una sensación de acogida al visitante.

Un felpudo en la puerta, una buena iluminación y un diseño del recibidor que incluya los cinco elementos nos permitirá crear un clima armonioso que incite a entrar en nuestra casa.

1 UNA IMAGEN CUIDADA
Es fundamental que la entrada a nuestra casa ofrezca un aspecto cuidado y limpio desde el exterior, que invite a entrar en ella.

2 FELPUDO
Un felpudo delante de la puerta contribuirá a crear la impresión de hospitalidad a quien nos visite.

3 LOS CINCO ELEMENTOS
En el recibidor tienen que estar representados los cinco elementos, como por ejemplo, en las perchas, los llaveros o velas.

4 LOS OBJETOS DEL INVITADO
Conviene destinar una zona para guardar los objetos personales de los visitantes, como el paraguas o el abrigo. Este ropero también puede ser utilizado por nosotros mismos.

CAPÍTULO 10

Las **habitaciones** de la casa

AL IGUAL QUE LA ESTRUCTURA DE UNA CASA DEBE TENER UNA BUENA ARMONÍA, LAS HABITACIONES TAMBIÉN. LOS OBJETOS QUE SE ENCUENTRAN EN ELLAS DEBEN ESTAR EN ARMONÍA CON EL ENTORNO PARA QUE CADA ESPACIO CUMPLA LAS FUNCIONES QUE LE HAN SIDO ASIGNADAS. EN ESTE CAPÍTULO EXPLICAREMOS CÓMO CONSEGUIR QUE EL CHI FLUYA DE LA MEJOR MANERA PARA CONSEGUIR UNAS ESTANCIAS ARMONIOSAS.

vamos a aprender...

Consideraciones generales

Antes de tratar cada habitación por separado, hay ciertas premisas que han de aplicarse en todas las estancias para conseguir que el Chi fluya de una manera armónica.

Otras recomendaciones

Según el Feng Shui, es preferible que la habitación que analizamos tenga únicamente una puerta, ya que la energía puede entrar y salir por ella.
Otra recomendación es que ningún objeto o mueble obstaculice el paso.
Asimismo, es importante que el respaldo de las sillas o el cabecero de la cama se apoyen sobre la pared, pues la persona que se siente o duerma en esa habitación sentirá más confianza y estará más protegida.

Una buena ubicación

Si, en cambio, la cama o los asientos los ponemos mirando hacia la pared, esto provocará en nosotros una gran desconfianza, debilidad y baja autoestima.
Las habitaciones también tienen que tener una buena iluminación, aunque nunca debe ser excesiva.

▶ El **comedor**

Esta habitación debe generar una atmósfera de intimidad, para que los invitados y los propios miembros de la familia tengan ganas de quedarse allí. Por esta razón, el comedor debe ser alegre, agradable y estar muy bien iluminado con el fin de favorecer las relaciones entre los que se sientan a comer o, simplemente, a conversar. Lo ideal sería que el comedor ocupara una estancia distinta a la sala de estar, pero en la actualidad las casas son muy pequeñas y esto suele ser imposible. Por ello, lo más indicado es que la decoración que utilicemos diferencie los dos espacios, o bien que coloquemos algún elemento, como un biombo, para distinguirlos.

▶ La **mesa** y las sillas

La forma de la mesa también afecta a esta habitación. Según el Feng Shui, las ovaladas facilitan la comunicación y las redondas o cuadradas atraen una energía más activa. La mesa, según la filosofía oriental, no debe ser muy grande, ya que no crearía una atmósfera de intimidad entre los comensales. Si no podemos cambiarla, se puede acortar visualmente poniendo algún objeto, como un jarrón.

Para atraer la suerte, debe haber un número par de sillas. Éstas tendrán un respaldo cómodo y estarán tapizadas.

Si se coloca un aparador u otro mueble, tiene que ser muy práctico y fácil de limpiar. Además, su tamaño será proporcional al del comedor.

[45] El **comedor** y la cocina

Las sillas, al igual que las camas, han de estar pegadas a la pared para que quien se siente lo haga con seguridad.

AL SER EL COMEDOR UNA HABITACIÓN MUY IMPORTANTE, TANTO EN NUESTRA CULTURA COMO EN LA ORIENTAL, DEBE REPRESENTAR, ANTE TODO, NUESTROS GUSTOS Y NUESTRO ESTILO. LO MEJOR ES PINTARLO CON COLORES CLAROS, YA QUE INVITAN A LA TRANQUILIDAD Y AL SOSIEGO. LOS MUEBLES DEBEN ESTAR DISTRIBUIDOS DE MODO QUE EL CHI FLUYA DE UNA MANERA FÁCIL Y SIN PROVOCAR QUE LOS COMENSALES SE ENTRETENGAN MIRÁNDOLOS.

El Feng Shui considera muy importantes los accesorios tanto de nuestro salón como del comedor: lámparas, cortinas, sillas... Objetos todos que deben dar un toque personal, pero siempre respetando las indicaciones del arte de la armonía.

También son aconsejables los centros de flores y plantas, pero nunca pondremos centros de frutas, más indicados para la cocina.

En cuanto a la cocina, para el Feng Shui representa la riqueza y la abundancia y, por ello, es un espacio muy importante en una vivienda.

Además, también es crucial que la persona que trabaja en esta habitación esté contenta y que sus sentimientos sean positivos para que, de esta manera, los pueda transmitir a los alimentos que está preparando.

▶ La distribución de la **cocina**

Para el Feng Shui lo más adecuado es que la zona de trabajo de la cocina esté en una isla.

En cambio, hay tres distribuciones que no son muy favorables. La primera es la que tiene la cocina en línea con la puerta, ya que puede provocar un desequilibrio en el Chi. La segunda obliga al cocinero a estar de espaldas a la puerta. Por último, la tercera, que es la peor, se produce cuando la zona de trabajo queda arrinconada en una esquina.

Si no podemos cambiar la cocina, el Feng Shui recomienda la colocación de algún espejo para activar el Chi.

TENGA EN CUENTA QUE...

▶ La cocina debe estar limpia, ordenada y sin demasiados objetos. Por lo tanto, los utensilios que no se usan todos los días se deben guardar, al igual que se deben tirar los alimentos que hayan caducado.

▶ Una mesa no muy grande propiciará la intimidad entre los comensales.

▶ Los **elementos** de la cocina

Tanto la cocina como el horno deben ponerse en una zona tranquila y lejos de las ventanas o de la puerta de acceso. El motivo es evitar posibles sobresaltos a quien esté cocinando de espaldas a la puerta, pues un gran susto afectaría a la comida. Para evitarlo, el Feng Shui recomienda poner un espejo para poder ver quién entra a la estancia.

Otra zona importante de la cocina es el fregadero. Debe tener siempre puesto el tapón, pues en caso contrario la riqueza se podría escapar por el desagüe.

Como ya hemos indicado, la limpieza es muy importante y los fogones o la placa de vitrocerámica también deben estar impolutos, además de funcionar correctamente. Asimismo, se tienen que utilizar todos para aumentar la riqueza de los residentes de la casa. Los frigoríficos y las despensas también son un símbolo de fortuna si están siempre ordenados, limpios y si tiramos todos los alimentos que estén caducados. En cuanto a las escobas, aspiradores o fregonas, han de estar guardados o escondidos, al igual que los cubos de basura, que deben vaciarse a diario.

▶ Los **alimentos**

Como hemos mencionado otras veces, los cinco elementos son imprescindibles para conseguir el equilibrio que propugna el Feng Shui y deben estar presentes en los alimentos que consumimos. Es decir, debemos tenerlos en cuenta cuando se cocine.

La madera está representada por los sabores agrios, como el vinagre; el fuego por los amargos, como la cebolla; la tierra por los dulces, como los pasteles; el metal por el picante, como la pimienta; y el agua por los salados. También hay que respetar el Yin y el Yang en la cocina. Así, los alimentos salados que producen calor y tienen muchas grasas son Yang, mientras los refrescantes, más dulces y aterciopelados son Yin.

Si tenemos que preparar un almuerzo formal, lo mejor es que decoremos el comedor con tonalidades doradas o rojizas y evitemos utilizar una luz directa.

Por último, en este tipo de celebraciones se deberán cocinar alimentos que sean Yang. Además, tienen que ser raciones generosas y abundantes.

El **dormitorio**

46

Si nuestra casa es pequeña, las alfombras nos servirán para separar distintos espacios dentro de una misma estancia.

EL FENG SHUI SOSTIENE QUE LOS DORMITORIOS TIENEN QUE SER ESPACIOS PARA DESCANSAR Y RELAJARSE, POR ESTA RAZÓN NO DEBEN ESTAR SOBRECARGADOS DE OBJETOS. EL DORMITORIO NO ES EL LUGAR ADECUADO PARA TRABAJAR, ESTUDIAR, COMER O LEER. NO DEBERÍAMOS PONER EN ESTAS ESTANCIAS NI ORDENADORES NI TELEVISORES O LIBRERÍAS, ELEMENTOS QUE NO INVITAN AL DESCANSO.

En viviendas pequeñas donde

no se puede tener el dormitorio separado de la zona de trabajo, se aconseja que las dos zonas estén diferenciadas bien con alfombras bien con otros objetos. Asimismo, al igual que las otras estancias de la casa, debe estar ordenado y libre de objetos que no se utilicen. Según el Feng Shui, éstos pueden provocar que no se tenga un sueño placentero y, por lo tanto, que las personas padezcan nerviosismo y estrés. Los cajones de cómodas y armarios también

deben estar ordenados y limpios. Es bueno revisarlos de vez en cuando y si nos encontráramos con algo que no se ha utilizado durante mucho tiempo, hay que desecharlo.

El Feng Shui tampoco recomienda tener aparatos electrónicos en el dormitorio, como teléfonos, radios, ordenadores o equipos de música, ya que emiten radiaciones que podrían perturbar el sueño. En caso de tenerlos, se aconseja taparlos cuando no se usen.

▶ La **cama**

La posición de la cama ha de ser la adecuada, ya que es muy importante para que el Chi fluya sin ningún problema. Además, también es fundamental para que

la persona que duerma allí se sienta segura y confiada.

La cama tiene que estar en posición recta y desde ella se tiene que poder ver la puerta de entrada a la habitación. Por el contrario, nunca debe estar alineada con la puerta y tampoco debe situarse entre la puerta y la ventana.

En cuanto a los elementos que deben componer una cama, el Feng Shui recomienda que siempre tenga un cabecero para proteger y dar estabilidad. Asimismo, no se deben colocar objetos que puedan perturbar el sueño o provocar algún accidente.

▶ La **decoración**

En los dormitorios, los techos se pueden pintar de blanco y las paredes con colores suaves y neutros como el marfil, crema, beis claro, etc.

La cama es mejor que sea de madera y alta ya que, según el Feng Shui, atraerá el éxito y mejorará la autoestima de los miembros de la familia.

Por otra parte, no se deben colocar muchos cuadros en la pared sobre la cama, pues correríamos el riesgo de provocar la falta de comunicación si se trata del dormitorio de una pareja.

Si es inevitable que en la habitación haya objetos electrónicos, como ordenadores o radios, lo más aconsejable es taparlos por la noche para que no perturben el descanso.

Los espejos no son muy aconsejables en los dormitorios. Lo mejor es ponerlos detrás de la puerta o en la parte interior del armario. En el caso de que ya hubiera uno y no se pudiera quitar, lo taparemos con una tela opaca a la hora de dormir o descansar. En cuanto a los tejidos se pueden utilizar distintas telas según el ambiente que quiera conseguirse. Si usamos la lana, por ejemplo en las alfombras, conseguiremos una atmósfera creativa. Mientras que si las sábanas son de colores neutros y de algodón o lino, conseguiremos un ambiente que invita a la creación y a la renovación. Si, por el contrario, utilizamos sábanas de raso obtendremos ambientes alegres y apasionados.

No es conveniente poner plantas o flores, especialmente las naturales.

▶ El **dormitorio** de los niños

Los dormitorios de los niños deben transmitir serenidad y han de ser lugares donde los pequeños se sientan seguros y confiados. Por esta razón, el Feng Shui recomienda que estén construidos con elementos resistentes y naturales.

Asimismo aconseja, si es posible, que el dormitorio esté separado del cuarto de juegos. Si no pudiera ser, al igual que en otras estancias se recomienda separar con algún elemento decorativo las dos zonas.

Tampoco es recomendable que en la habitación de los niños haya un exceso de juguetes y, si la habitación se utiliza para jugar o para estudiar, cuando los niños terminen estas actividades todos los objetos tienen que guardarse u ordenarse para no interferir en el sueño de los pequeños.

Los dormitorios compartidos por dos o más niños deben tener muy bien diferenciadas las zonas de cada uno de ellos.

Las normas del Feng Shui, por otro lado, recomiendan variar la decoración de las estancias en cada fase vital. Una vez que el niño crezca, pues, deberíamos adecuar la habitación a su nueva etapa adolescente.

▶ Los **elementos**

El área de trabajo se corresponde con el elemento agua, por lo que se puede aumentar su energía colocando objetos relacionados con el líquido elemento; por ejemplo, un acuario. También se puede optar por colocar objetos de metal –maceteros de latón o marcos de plata– ya que en el ciclo de creación, el metal genera agua del mismo modo que un cuenco de metal puede contener agua y darle forma. Procure no incluir ningún objeto relacionado con la tierra, ya sea barro o cerámica.

▶ **Orientación** y muebles

El despacho debe estar orientado hacia el Oeste o hacia el Este, de modo que la luz alcance el plano de trabajo desde la izquierda. Por tanto, es recomendable que la ventana se sitúe a la izquierda de la estancia; de no ser así, se puede colocar un espejo que refleje el paisaje exterior. En cuanto al escritorio, será de forma rectangular y estará adosado al muro de carga; por su parte, la silla tendrá un respaldo alto. Es aconsejable colgar un cuadro que represente el agua a espaldas del que trabaja.

47

El **despacho**

LA UBICACIÓN DE ESTA HABITACIÓN ES MUY IMPORTANTE Y DEPENDERÁ DEL TIPO DE ACTIVIDAD QUE SE REALICE EN ELLA. POR EJEMPLO, SI HAY QUE DESARROLLAR UNA LABOR QUE EXIGE MUCHA CONCENTRACIÓN, ESTA ESTANCIA DEBE ENCONTRARSE EN UN LUGAR DONDE SEA MUY DIFÍCIL DISTRAERSE.

Es mejor no ubicarnos hacia la ventana porque es fácil que no prestemos atención al trabajo.

Si las actividades que se realizan exigen introspección, el mejor lugar para ubicar el despacho será la parte interior de la casa. En cambio, si están relacionadas con el mundo exterior, lo aconsejable es que esté cerca de la puerta de entrada.

La colocación de la mesa de trabajo es igual de importante que la posición de una cama en un dormitorio. La mesa tiene que estar de cara a la puerta. Si se pone hacia la ventana, el Feng Shui nos recuerda que puede provocar distracciones.

Además, es importante que la habitación esté bien iluminada y, si es posible, que la librería pueda ocultarse pues esto favorece el orden y la limpieza.

▶ El **Chi** del despacho

El despacho es la estancia por excelencia para dedicarse a la lectura, la escritura y la meditación. El Chi del estudio debe estar equilibrado entre el Yin y el Yang, por lo que ha de ser relajante y capaz de favorecer el trabajo. Esto se consigue si el despacho no es ni demasiado grande ni pequeño, y tiene una forma simple y cómoda.

Lo más aconsejable es que sea rectangular. Si tiene forma de L, usaremos una de las zonas como escritorio y la otra a modo de saloncito.

Lo ideal sería que por la ventana o ventanas viéramos un paisaje apacible. Aunque, como ya hemos dicho anteriormente, nuestra atención debe dirigirse hacia el interior de la habitación. En el caso de que la vista sea fuente de molestias –si vemos la ventana del vecino, las vías del tren, un edificio en ruinas, cables eléctricos...–, conviene poner cortinas.

El orden es otro factor fundamental. El escritorio debe permanecer despejado de objetos y libre de polvo. De nada sirve mantener la mesa limpia y tener, en cambio, los cajones y armarios desordenados. Sin orden el Chi no fluirá correctamente.

[48] El **cuarto** de baño

LA FILOSOFÍA ORIENTAL NO CONSIDERA ESTA HABITACIÓN DE MANERA MUY FAVORABLE, YA QUE HAY DEMASIADA PRESENCIA DEL ELEMENTO AGUA. PARA MITIGAR SU EFECTO HAY QUE COLOCAR ELEMENTOS TIERRA O METÁLICOS, QUE NEUTRALICEN LOS EXCESOS DEL AGUA Y TAMBIÉN EL EXCESO DEL YIN.

En el baño, el flujo de la energía será negativo si mantenemos los desagües atascados.

En la actualidad y, sobre todo en Occidente, esta estancia se utiliza con frecuencia como un lugar donde relajarse. También se entiende como un espacio que invita a la intimidad.

Es muy importante que el cuarto de baño sea una habitación agradable. El elemento más perturbador, sin duda, es el inodoro. Por esta razón, el Feng Shui recomienda que esté lo más escondido posible a la vista.

Para la tradición oriental, si el inodoro está en la zona suroeste (que en el mapa Bagua representa la riqueza y la prosperidad) puede ocurrir que al tirar de la cadena éstas desaparezcan.

El baño debe tener una ventilación constante. Además, debe estar muy bien iluminado, limpio y ordenado. Todos aquellos utensilios que ya no se utilicen o que nos sobren deben ser retirados.

Por último, los desagües no deben estar atascados; así, el agua podrá fluir y no perjudicará el signo positivo de la energía de la casa.

49

Las **habitaciones**

LAS HABITACIONES DE LA CASA DESTINADAS A DISTINTAS ACTIVIDADES DEBEN SEGUIR UNAS SENCILLAS PAUTAS DE DISTRIBUCIÓN PARA ACOMODARSE A LOS PRINCIPIOS DE ARMONÍA Y BIENESTAR QUE PERSIGUE EL FENG SHUI.

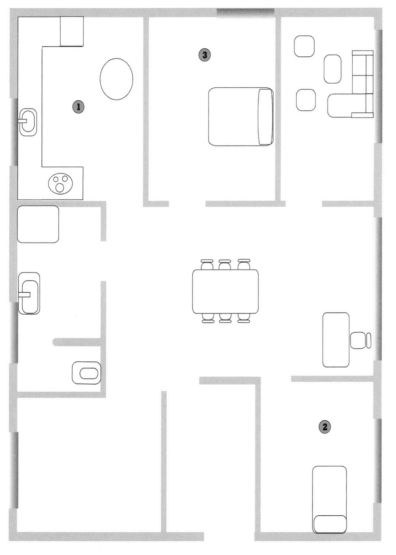

▶ Localización inadecuada

La distribución incorrecta de los espacios vitales dificulta la presencia de la armonía en la casa e imposibilita el buen flujo del Chi.

1 UBICACIÓN DE LA COCINA
Como muestra el dibujo, el espacio para la cocina carece de una ventilación adecuada.

2 DORMITORIO 1
El dormitorio tampoco está ubicado en el lugar recomendado, que corresponde al fondo de la casa, con orientación norte.

3 DORMITORIO 2
Un dormitorio situado entre la cocina y el salón no permite un buen descanso.

Unos colores y una decoración adecuados pueden remediar algunos problemas de distribución incorrecta. Sin embargo, sólo lograremos los resultados óptimos cuanto más respetemos los principios de este arte milenario.

Conseguir una concentración profunda nos será más fácil si elegimos la habitación de la casa más adecuada para ser despacho.

Lo más aconsejable es situar los dormitorios al fondo de la casa y orientados al Norte.

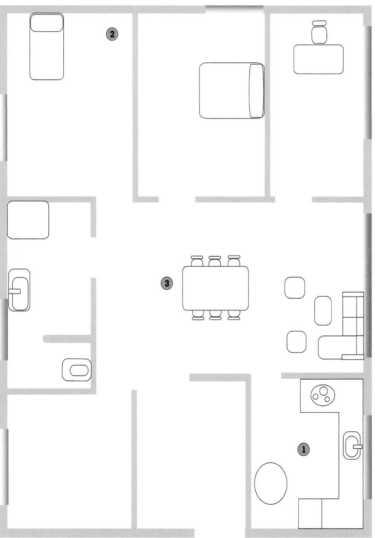

▶ Localización adecuada

Para el Feng Shui, no resulta baladí el lugar que ocupe la cocina, el comedor o las áreas de descanso.

Una buena distribución es fundamental. Sobre todo, debemos tener en cuenta que las energías siempre convergerán hacia el lugar central de la casa.

① UBICACIÓN DE LA COCINA
La cocina encuentra la mejor ubicación en una zona exterior que permita la ventilación.

② DORMITORIOS
Los dormitorios encontrarán su correcta situación orientadas hacia el Norte, en el fondo de la casa.

③ EL CENTRO DE LA CASA
El espacio central siempre tendrá objetos o muebles que representen el elemento tierra. Se trata del punto de encuentro de todas las energías de la casa.

CAPÍTULO 11

El **estilo** de vida

EL FENG SHUI, COMO HEMOS VISTO HASTA EL MOMENTO, AFECTA A LA CASA DONDE VIVIMOS Y, ADEMÁS, DEBE INSPIRAR EL RESTO DE NUESTRA VIDA Y TODOS LOS ELEMENTOS QUE NOS RODEAN. EL ARTE ORIENTAL DE LA ARMONÍA PUEDE SERVIRNOS PARA MEJORAR NUESTRA RELACIÓN DE PAREJA O NUESTRO ESTADO DE ÁNIMO.

cosas que aprenderemos...

El lugar donde vivimos

El Feng Shui está presente en toda nuestra vida. Por este motivo, el lugar donde vivimos también influirá en nuestra calidad de vida.

La importancia del entorno

Esta filosofía oriental dice que el entorno afecta a nuestro trabajo, a nuestra salud, a nuestras relaciones de pareja o familiares. También sirve para paliar una depresión o para lograr los objetivos profesionales.

Vivir en zonas contaminadas

Si vivimos en una zona muy contaminada, con pocos espacios verdes o sin vistas agradables, nuestra vida no estará equilibrada y afectará a nuestro estado de ánimo, lo que provocará, según el Feng Shui, un desequilibrio en nuestro universo.

La **pareja** Feng Shui

50

EL FENG SHUI NO ES AJENO AL AMOR. PARA LA FILOSOFÍA ORIENTAL, UNO DE LOS LUGA-RES MÁS IMPORTANTES PARA CONSEGUIR LA PERFECCIÓN EN EL AMOR ES EL DORMITORIO. ES LA ESTANCIA QUE AYUDA A LA PAREJA A CONSTRUIR UN FUTURO LLENO DE ENERGÍA POSITIVA. POR ELLO, ESTA HABITACIÓN HABRÁ DE SER UN LUGAR AGRADABLE E ÍNTIMO.

El Feng Shui señala la importancia del amor para conseguir una perfecta armonía.

Para construir un ambiente acogedor, lo primero que recomienda el Feng Shui es que el dormitorio principal no sea demasiado grande, ya que se dispersaría la atmósfera romántica que deseamos lograr.

Las casas pequeñas están de enhorabuena, pues no habremos de crear distintos ambientes para conseguir una estancia íntima.

En cuanto a los elementos decorativos, un gran inconveniente sería que sólo hubiera una lámpara o una mesilla de noche puesto que en estas estancias, según el Feng Shui, todos los objetos deben tener su correspondiente pareja.

Asimismo, se recomienda que en la habitación no haya fotografías de los hijos, ya que esto puede perjudicar a la pareja. Dentro del apartado de las fotografías, tampoco se recomienda que haya retratos de los componentes de la pareja por separado, porque podría provocar que alguno de ellos decidiera empezar su vida por separado.

Elementos **decorativos**

En los dormitorios serán pares elementos como las lámparas, las mesillas, etc. De lo contrario, sería un gran inconveniente para la armonía de la pareja.

Para **conseguir** un ambiente acogedor

Se recomienda también que se dispongan en la estancia varias fotografías de la pareja en distintos momentos tranquilos y felices. Las imágenes que nos recuerdan momentos agradables siempre equilibrarán nuestro Chi. Según el Feng Shui, si queremos que nuestra relación sea madura, hay que incorporar el elemento metal en algún objeto de la habitación, como en las lámparas o en el cabecero.

▶ Encontrar el **equilibrio**

El Feng Shui recomienda que los miembros de la pareja tengan su espacio bien definido en el dormitorio.

Han de compartir el mismo espacio agradable y disfrutar de idéntica comodidad, de no ser así su relación podría resultar perjudicada.

Asimismo, el dormitorio debe ser lo suficientemente amplio. De lo contrario, cuando uno de los dos se levante antes que el otro molestará a su pareja y ésta no tendrá un sueño reparador, lo que provocará un desequilibrio de la energía. Como ya vimos en el capítulo anterior, las vigas no son muy recomendables y, en la habitación de una pareja, son muy negativas para la relación.

▶ **Recomendaciones** después de una ruptura

Si se ha sufrido una ruptura reciente, el Feng Shui recomienda que se retiren del dormitorio todas las fotos que pudieran recordar a la relación anterior. Es así como la persona podrá conseguir una relación nueva y no se quedará estancada.

Además, se tienen que retirar todos los objetos personales de la antigua pareja cuanto antes. Si no se hace así, nunca se superará del todo la ruptura y será muy difícil iniciar una nueva relación.

El Feng Shui cree que las personas solteras deben tener la habitación armonizada como si tuvieran una pareja. De esta manera, cuando se tenga una relación, la estancia estará preparada para que funcione bien.

Los solteros que buscan pareja pueden poner algunas rosas rojas en la habitación para, según esta ciencia milenaria, potenciar así las oportunidades de conseguir un nuevo amor.

TENGA EN CUENTA QUE...

▶ La ropa de cama y las cortinas deben ser de tejidos naturales.

▶ Los elementos decorativos deben ser de colores cálidos.

▶ Los colores naranja y azul marino son los más recomendables. También, pero sin abusar, el color rojo pasión.

[51] Hijos y **creatividad**

Para que fluya la energía de manera positiva hay que ser creativos y, a veces, hasta algo niños.

HAY QUE UTILIZAR EL MAPA BAGUA PARA DESCUBRIR CÓMO AFECTA EL FENG SHUI A LA CREATIVIDAD Y AL BIENESTAR DE LOS HIJOS. ESTA ZONA SE ENCUENTRA HACIA LA MITAD DE LA CASA, EN EL LADO DERECHO. EL ELEMENTO QUE LA CARACTERIZA ES EL METAL Y DEBEMOS UTILIZAR LOS COLORES CLAROS PARA CONSEGUIR LA BUENA SUERTE PARA LOS HIJOS Y PARA TODOS LOS MIEMBROS DE LA FAMILIA.

El Feng Shui recomienda que fluya la energía de manera positiva.

Desde esta ciencia se aconseja potenciar la creatividad, dejarla fluir de forma libre, incluso sacando a ese niño que todos llevamos dentro.

Una de las partes de la casa que mejoran la creatividad y el bienestar de los hijos es la de los viajes y los mentores. Esta zona se encuentra, si utilizamos el Bagua, en la esquina derecha del frente de la vivienda. Los colores a los que se asocia son el blanco y el gris.

Para conseguir mejorar este ámbito de la vida, hay que descubrir cuáles son nuestras cualidades y que cada una de las cosas que hacemos en la vida tengan un sentido. Los estudios y los conocimientos, la otra zona que potencia la creatividad, se encuentra en el frente de la vivienda a la izquierda. Si queremos activar esta área hay que utilizar los azules y los verdes, aunque otra solución es poner una lámpara que ilumine bien la estancia.

Asimismo, para conseguir efectos positivos en los estudios y los conocimientos habrá que cultivar la tranquilidad. Una buena manera para conseguir este estado de ánimo es practicar alguna técnica de relajación.

Por último, señalaremos la zona relacionada con la carrera profesional. Se sitúa en la parte frontal de la casa. Si deseamos lograr el éxito profesional, resulta muy recomendable colocar aquí una pecera.

Los **estudios**

Para conseguir un efecto positivo en los estudios y en el conocimiento es recomendable practicar alguna técnica de relajación, ya que este estado de ánimo nos ayudará a alcanzar nuestros objetivos.

Las **peceras**

Las peceras aumentan la creatividad, pero siempre y cuando estén limpias y bien cuidadas (esto es fundamental). Tampoco es aconsejable que sean muy grandes.

[52] Los **colores** en la vida

EL FENG SHUI NO SE OLVIDA DE LOS COLORES, TAN PRESENTES EN TODOS LOS ASPECTOS DE NUESTRA VIDA. MUCHAS VECES, SEGÚN EL ESTADO DE ÁNIMO QUE TENGAMOS ELEGIMOS UNA U OTRA TONALIDAD EN LA ROPA O TAMBIÉN AL DISPONERNOS A DECORAR UNA ESTANCIA.

Las tonalidades rojizas y anaranjadas transmiten confianza, pero evitaremos el abuso para que nuestra actitud no resulte agresiva.

La filosofía oriental de la armonía clasifica los colores según los cinco elementos (fuego, tierra, agua, metal y madera).

Para el Feng Shui, según el color que elijamos conseguiremos transmitir a los demás un tipo de energía u otra e, incluso, afectará positiva o negativamente a nuestro estado de ánimo, a nuestro trabajo o a otros aspectos de nuestra vida.

El elemento fuego se identifica con las tonalidades rojizas y anaranjadas. Estos colores, que se caracterizan por ser muy fuertes y cálidos, transmiten confianza a quien los usa.

El Feng Shui nos recomienda que no abusemos de este color en el trabajo, ya que nuestra actitud podría parecer muy agresiva e, incluso, podríamos provocar este comportamiento en nuestros compañeros. En líneas generales, podemos decir que es recomendable utilizar los tonos naranjas o rojos para asistir a una fiesta, para estar más atractivos o para conseguir algo que deseemos de nuestra pareja.

En cambio, deberemos limitar su uso en el ámbito del trabajo, del estudio o si vamos a tratar algún problema importante con un amigo o con un compañero de trabajo.

▶ El elemento **madera** y sus colores

El color verde, que representa el elemento madera, no es muy utilizado, ya que es muy complicado que siente bien o combinarlo con otros.

Pero el verde es una tonalidad muy importante para el Feng Shui por sus cualidades: aumenta la creatividad, la fertilidad y potencia la originalidad si llevamos a cabo algún proyecto, aunque nunca se deberá utilizar si estamos en un ambiente muy serio.

Por esta razón, utilizar el color verde será muy útil para las futuras madres, para las maestras o para los artistas de todas las disciplinas.

Pero nunca se deberá utilizar en las habitaciones de los enfermos o para firmar un contrato.

▶ El elemento **metal** y sus colores

Este elemento, representado por el blanco, el plateado, el dorado o por las tonalidades metálicas, sirve para dar seriedad y dar importancia a un hecho o a una situación.

Por esta razón, estos colores se deben utilizar en todas aquellas reuniones que impliquen una actitud seria y responsable, como, por ejemplo, en una entrevista de trabajo o en un examen decisivo. Pero nunca se deben usar para asistir a una fiesta o a un evento de carácter informal o divertido.

▶ El elemento **tierra** y sus colores

Los colores amarillos u ocres representan el elemento tierra y significan la tradición o la estabilidad.

Por esta razón, son los más adecuados para proyectar una imagen familiar y de solidez. En nuestra vida diaria se deberán utilizar para firmar contratos, para visitar a algún enfermo o cuando vamos a conocer a la familia de nuestra pareja. En cambio, no se deberán utilizar para competir o para presentar una idea.

▶ El elemento **agua** y sus colores

Uno de sus colores es el negro, que se utiliza mucho en nuestra vida. Por ejemplo, a la hora de vestirnos el negro es un color comodín, ya que sirve para todas las situaciones; además, estiliza la figura.

Por esta razón, el Feng Shui recomienda que lo utilicemos para una primera cita en la que queramos impactar a la persona con la que hemos quedado y, por supuesto, para conseguir seducirla.

No se debe utilizar en una entrevista de trabajo, para presentar una idea o un proyecto, o dar una conferencia.

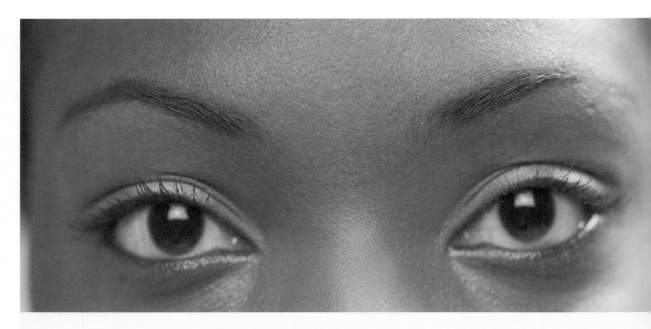

[53] Los **elementos**
y el estilo de vida

ES POSIBLE RELACIONAR LOS CINCO ELEMENTOS CON EL MAPA ASTROLÓGICO DE UNA PER-
SONA. DE ESTA FORMA, SE PUEDEN DESCUBRIR LOS ESTADOS DE ÁNIMO Y LOS RASGOS DE
SU PERSONALIDAD.

*La astrología nos
proporciona conocimientos
que podemos aplicar
a la ciencia práctica del
Feng Shui.*

Si conocemos el elemento astral de
una persona podremos saber cuáles son las
zonas más beneficiosas de una casa para
ella. En sus doctrinas, el Feng Shui combina
la teoría de los cinco elementos con la
información contenida en las cartas astrales.
De esta manera, si una persona tiene exceso
de alguno de los elementos en su mapa
astrológico, puede corregir este desequilibrio
siguiendo los principios de esta ciencia
milenaria. Para ello, deberemos conocer qué
elementos pueden equilibrar la deficiencia
y aprender de qué manera podemos
corregirnos en la práctica cotidiana.

▶ El elemento **fuego**

Las personas que están influidas por este elemento se caracterizan por ser alegres, muy habladoras y sedentarias.

En cuanto a los rasgos negativos de su carácter, se puede decir que son muy impacientes, arrogantes y demasiado eufóricas. Para mejorarlos tendrán que reírse mucho de sí mismas y aceptar que se pueden equivocar. Además, se caracterizan por tener cambios de humor en invierno y a finales del verano, y no soportan el frío ni el exceso de calor.

▶ El elemento **agua**

Las personas con un mapa astrológico influenciado por este elemento tienen mucha fuerza de voluntad y planifican mucho su vida y todo lo que les rodea. Aunque, por el contrario, suelen sufrir de pánico y son muy inseguras. Para mejorar estos aspectos negativos de su personalidad tienen que escuchar el sonido del mar. Además, son vulnerables al final del verano, a la humedad y al exceso de los colores amarillo, naranja y verde.

▶ El elemento **madera**

El elemento madera se identifica con órganos del cuerpo humano como el hígado y la vista, y conlleva claridad y bondad. Si una persona tiene exceso de este elemento se caracterizará por enfadarse enseguida, ser impaciente e intolerante. Para mejorar este estado habrá que escuchar música y pasear por jardines.

Son personas sensibles al otoño y al verano y no les convienen ni el color rojo ni el blanco.

▶ El elemento **tierra**

Son personas que se caracterizan por ser reflexivas e imaginativas, sinceras y fieles. Aunque también se preocupan demasiado, dudan mucho a la hora de tomar una decisión, son inseguras y críticas.

Para mejorar estos aspectos negativos de su persona deben desarrollar distintas modalidades artísticas, como el canto o la actuación. También pueden suavizarlos a través de la enseñanza.

Por último, son sensibles a la primavera, al otoño y al exceso de los colores verde, azul, blanco o gris.

▶ El elemento **metal**

Son personas muy nostálgicas, les falta confianza en sí mismas y son muy creativas. Se pueden deprimir con bastante facilidad, al igual que sufren tristeza. Además, son melancólicas y testarudas.

Para mejorar estos estados de ánimo, el Feng Shui recomienda el desapego emocional y material.

Estas personas son muy sensibles a las estaciones de verano e invierno, y al exceso de los colores rojo y negro.

Economía y Feng Shui

Hallar el lugar de la casa donde el Chi fluye perfectamente es fundamental para impulsar la bonanza económica.

EN CAPÍTULOS ANTERIORES HEMOS VISTO QUE SI NO SEGUIMOS LOS PRINCIPIOS DEL FENG SHUI EN ALGUNAS ZONAS DE LA CASA, PODEMOS PROVOCAR QUE EL DINERO O LA RIQUEZA DE LA FAMILIA DESAPAREZCA O DISMINUYA.

ES RECOMENDABLE QUE TODAS LAS ZONAS DEL MAPA BAGUA ESTÉN ARMONIZADAS PARA CONSEGUIR UNOS EFECTOS POSITIVOS EN NUESTRA ECONOMÍA.

La primera recomendación se refiere a que las personas se deshagan de todos aquellos objetos y enseres que no se usan o que ya no sirven.

La zona de nuestra casa o habitación donde fluye de mejor manera la energía para conseguir la riqueza se sitúa en el ángulo derecho del vestíbulo.

Una vez tengamos delimitada esta zona, la recomendación es colocar un acuario o una caja llena de monedas. Si tenemos la suerte de vivir en una casa con jardín, colocar una fuente en el exterior también es una buena solución, aunque recordemos que el agua siempre ha de estar limpia y nunca estancada.

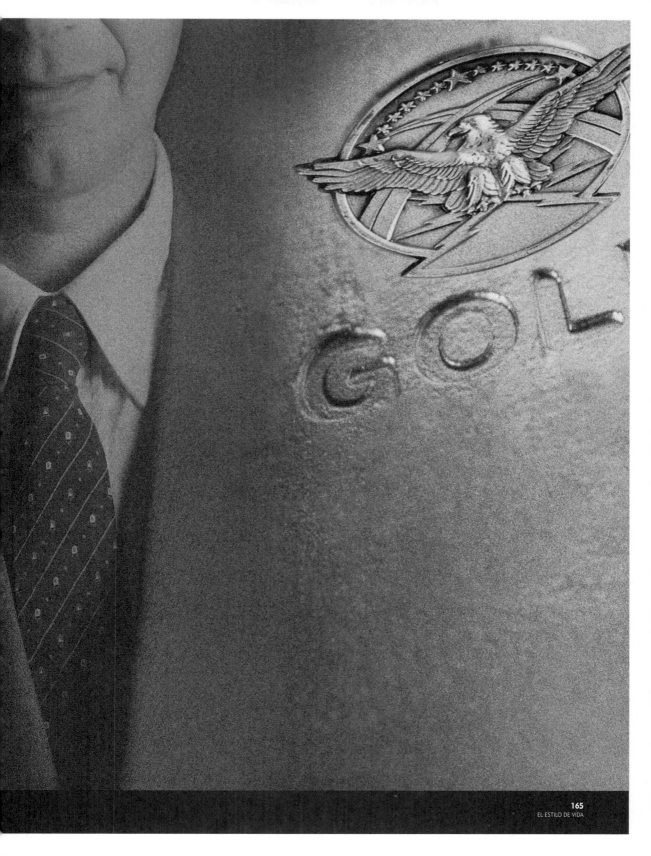

Crear un **ambiente** Feng Shui

A LA HORA DE REFORMAR AMBIENTES SIGUIENDO LAS PREMISAS DEL FENG SHUI, CUALQUIERA QUE SEA SU ESCUELA, ES IMPORTANTE LOGRAR UNA CONCENTRACIÓN DE LAS ENERGÍAS, DE LA ATENCIÓN Y DE LAS EMOCIONES.

cosas que aprenderemos...

El Feng Shui propone que cada acción se realice de acuerdo a los cambios que se nos vayan presentando en la vida.

Colocar objetos o quitarlos para favorecer el buen fluir de la energía son acciones que no tienen que ser entendidas como un acto realizado de modo mecánico.

Muy por el contrario, estas acciones tienen que estar profundamente relacionadas con nuestras energías y nuestra buena disposición para los cambios.

RECUERDE QUE...

▶ El Chi del hogar o de los ambientes que más frecuentamos condicionan y afectan continuamente el flujo personal del Chi.
▶ Por esta razón, es tan importante lograr un equilibrio en el flujo de las energías en estos ambientes. Es necesario, pues, controlar todas las energías.

[12] Los **principios** básicos

ENTENDIENDO QUE TODA LA ENERGÍA DE NUESTRO ENTORNO NOS INFLUYE, LIBERÁNDONOS O BLOQUEÁNDONOS CONTINUAMENTE, A LA HORA DE APLICAR LAS HERRAMIENTAS DEL FENG SHUI LO IMPORTANTE ES TENER CLAROS LOS OBJETIVOS, MANTENIENDO UNA ACTITUD ABIERTA Y POSITIVA.

La renovación debe ser un acto de impulso, de cambio, que no debe llevarse a cabo de una forma automática.

El Feng Shui es el arte de la reorganización de las cosas. Es el arte de la correcta disposición de los objetos, de tal forma que contribuyan a mejorar la calidad de vida.

Las diferentes escuelas y teorías del Feng Shui proponen herramientas múltiples para manipular los factores ambientales que nos rodean, con el objetivo de intensificar y mejorar la energía vital que nos influye. Esta energía, denominada Chi por la filosofía oriental, es la fuerza energética básica que anima y está presente en todos los seres vivos. La misión del Feng Shui es, entonces, la de restablecer el equilibrio entre las fuerzas energéticas externas e internas del individuo. El objetivo es crear espacios armónicos entre el hombre y la naturaleza, colocando al ser humano en el lugar que más contribuya a su desarrollo físico, mental y espiritual.

La energía de un ambiente puede ser agradable u hostil, sucia o limpia, Yin o Yang. La propuesta es crear los canales necesarios para el libre fluir de la energía Yang de nuestro entorno y de nosotros mismos. De esta manera, favoreceremos la felicidad y la buena fortuna.

El Chi **saludable**

De una persona sana, fuerte y alegre se dice que tiene un Chi saludable. En cambio, una persona que tenga el Chi débil o deficiente se caracterizará por ser enfermiza y frágil. El Chi fluye a través de los meridianos del cuerpo humano.

El **Chi** o energía vital

La energía en movimiento está presente en todas las formas de vida. Nosotros influimos en nuestro entorno y nuestro entorno influye en nuestras acciones, emociones y sentimientos. El Chi o la energía vital es la fuerza interna que fluye dentro de todos los seres vivos, proporcionándoles movimiento y vitalidad. Al abrir canales en nuestro entorno para que la buena energía fluya con libertad,

estamos influyendo en nuestras energías internas. La cultura japonesa utiliza el término Ki para referirse al Chi; la cultura hindú, el término Prana y en Occidente se conoce como energía vital o energía vital cósmica. A través de la práctica del Feng Shui lo que se intenta es lograr el equilibrio entre el Chi espacio temporal y el Chi de las personas, con el objetivo final de crear ambientes llenos de armonía y felicidad.

El Chi en los **ambientes**

En los hogares o en los lugares de trabajo, es decir, en cualquier ambiente, el Chi fluye a lo largo de las estructuras geométricas, de los colores, de los materiales, de los muebles y objetos, y del lugar que éstos ocupan en los ambientes. La distribución de las habitaciones, las proporciones de los espacios y la relación de la casa con el suelo establecen los patrones de distribución y fluidez de la energía dentro del hogar.

[55] La **casa** como un cuerpo

El cuerpo reacciona de forma muy diversa a los estímulos que lo rodean.

UNA PERSONA PUEDE VERSE HERMOSA, ESTAR BIEN VESTIDA Y TENER UNA APARIENCIA SALUDABLE. SIN EMBARGO, HAY OCASIONES EN LAS QUE LAS ENFERMEDADES SE ESCONDEN DEBAJO DE UN EXTERIOR BELLO Y CUIDADO.

Con los hogares o edificios sucede lo mismo que con las personas. Pueden estar costosamente construidos y decorados, en apariencia ser acogedores y cómodos y, sin embargo, tener muchos problemas ocultos de energías que obstaculicen los proyectos, los objetivos y las relaciones de sus habitantes. Con el Feng Shui se puede frenar todo este flujo negativo a través del equilibrio entre las corrientes de energía de la vivienda, por un lado, y de sus habitantes, por otro. Los flujos de energía se influyen unos a otros y se condicionan. El cuerpo siempre reacciona ante los estímulos del ambiente que lo rodea. Una de las maneras de sentir la propia energía es, justamente, la de observar las reacciones del cuerpo y las emociones internas cuando nos exponemos a ambientes diferentes o a situaciones no habituales. Cuando hayamos identificado que nuestro cuerpo genera respuestas en función del entorno, podremos señalar cuáles son las energías perjudiciales. Una vez identificado este tipo de energías negativas utilizaremos las herramientas que propone el Feng Shui para poder desbloquear los canales energéticos. Al sentir cómo la energía Yang del ambiente afecta de una forma positiva a nuestro Chi personal, nos instalaremos de manera más armoniosa en nuestro entorno.

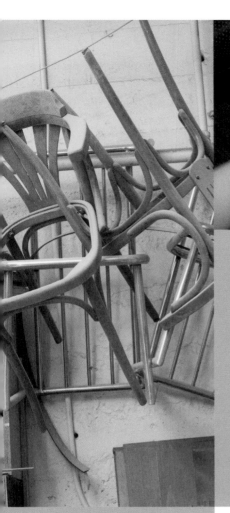

◗ Qué **objetos** tirar

Decidir cuáles son los objetos inservibles es una cuestión personal y subjetiva.

Usted debe decidir qué es basura y qué no lo es. Lo que resulta muy preciado para usted, puede que para otra persona no sea más que un objeto en un rincón. Debe deshacerse de todo aquello que, por alguna razón, le traiga malos recuerdos, le provoque estrés, le moleste o, simplemente, ya no utilice. Cuando un objeto haya perdido ese significado especial que tuvo en su principio, tírelo o regálelo.

◗ La **acumulación** de trastos

La acumulación de objetos deteriora el Chi de los espacios y de las personas que lo habitan. Es necesario mantener el buen fluir de la energía en la casa y en el cuerpo. Por eso es tan importante limpiar la energía vieja, esa que se acumula con el paso de los años y los acontecimientos, tanto en nuestras casas como en nuestras actitudes.

Al deshacernos de las viejas y débiles energías que nos rodean y dejar de lado las actitudes anticuadas estaremos creando nuevos espacios para que entre energía renovada y sucedan cosas nuevas y positivas. No debemos permitir que los objetos viejos y en desuso se apilen en los rincones, dentro de los armarios o detrás de las cortinas. Tampoco debemos dejar los objetos demasiado tiempo en un mismo lugar. Estas actitudes de abandono sobre los trastos que son parte de nuestro entorno propician la inmovilidad de la energía y la acumulación de energía Yin negativa. Esto es muy desfavorable en lo que respecta al buen fluir de la energía y a sus consecuencias positivas para nuestro entorno. La energía Yin negativa bloquea el buen desarrollo de la energía Yang.

◗ Renovar **ambientes**

Para modificar los ambientes y crear otros más favorables para las personas que los habitan, hay que tener en cuenta que la energía del hogar debe estar presente en los colores, en las formas, en los materiales, en las plantas, en los animales, en la iluminación y en la disposición de los objetos. Todo ejerce una influencia continua y profunda sobre el estado del Chi personal, al mismo tiempo que éste afecta al ambiente. Cuanto más equilibrado esté el Chi de la casa, más equilibrio encontrará el Chi personal de sus habitantes.

▶ Un **ambiente** sano

El Feng Shui proporciona herramientas para que los habitantes de la casa se sientan alegres, realizados y confiados. Además de mantener la casa limpia y ordenada, y de tirar los trastos inservibles, es muy importante utilizar herramientas como el color, la música, las luces, las plantas, el agua y los sonidos, o también fuentes de energía Yang.

En una casa donde la energía está en constante movimiento hay calidez y se propicia un espíritu de abundancia, creándose un ambiente sano y alegre.

▶ La **limpieza** como principio del nuevo ambiente

Antes de comenzar a aplicar los cambios necesarios es aconsejable hacer una lista de los objetos que ya no queremos que permanezcan. Es muy importante para el Feng Shui el orden y la limpieza. De ahí la importancia de vaciar de objetos viejos que ya no se utilicen los estantes, de tirar aquellos trastos que estén rotos o dañados y de limpiar todos los rincones de la casa. Con el paso del tiempo la energía se estanca a través de la suciedad, por lo que es fundamental mantener los ambientes limpios, ordenados y aireados.

▶ Qué **conservar**

A menudo acostumbramos a conservar determinados objetos que guardan un significado especial para nosotros. Se trata de las más variadas cosas que, con sólo mirarlas o simplemente con tenerlas a nuestro lado, nos hacen sentir bien. Así pues, convendrá tenerlas cerca para recibir su influencia estimulante. Esta clase de artículos nos hará la vida más bella, regalándonos sensaciones de alegría y felicidad gracias a su alta carga de energía revitalizadora repleta de Chi positivo.

[56] Renovando las **energías**

A CONTINUACIÓN VEREMOS ALGUNAS DE LAS HERRAMIENTAS QUE EL FENG SHUI PROPONE PARA RENOVAR LA ENERGÍA DE LOS AMBIENTES Y CORREGIR LOS DESEQUILIBRIOS.

Para que la energía fluya adecuadamente es importante una disposición correcta de los muebles, que deben ser de formas redondeadas.

La energía que fluya en nuestras casas deberá ser suave y relajada, sin tensiones. La buena energía debe fluir de una forma constante y natural, ni demasiado rápido ni demasiado lento hasta el punto de estancarse.

Para lograr esto es importante la correcta disposición de los objetos y de los muebles. Éstos no deben obstaculizar el paso de la energía por los pasillos, las entradas o las escaleras.

Los muebles con terminaciones suaves y redondeadas crean un camino sin obstáculos a la energía, generando un ambiente positivo. Este tipo de energía potenciará los proyectos de los miembros de la casa.

Hay que evitar los muebles con terminaciones rectas pronunciadas. Esto se considera amenazante, pues corta el libre fluir de la energía.

Los espacios de la casa donde se acumula energía positiva y saludable suelen ser aquellos donde se reúnen sus habitantes más frecuentemente. En estos espacios es importante, entonces, potenciar la energía vital con plantas, animales, peceras o símbolos de la abundancia.

▶ Corregir **desequilibrios**

Cuando hayamos identificado que el Chi de algún ambiente es negativo, en relación, por ejemplo, con lo sucedido en ese lugar, lo ideal es tirar los trastos viejos o inservibles, despejar los rincones, darle una nueva mano de pintura a las paredes y cambiar la iluminación.

Las luces brillantes y los colores cálidos proporcionan energía Yang revitalizadora.

RECUERDE QUE...

▶ Es importante deshacerse de las cosas inservibles y utilizar herramientas de energía positiva (lámparas, luces o música).

▶ Las estancias de la casa en las que se acumula energía positiva coinciden con los espacios más concurridos por sus habitantes.

▌La **iluminación**

Siempre es aconsejable tener una buena y brillante iluminación en todos los espacios de la casa. Cuando un rincón o una habitación no reciban la luz natural adecuada se aconseja colocar bombillas brillantes. Aunque no tienen que permanecer encendidas la mayor parte del día para reactivar el Chi del lugar, sí es importante que no estén fundidas. Cuando una bombilla se funda será reemplazada con rapidez.

▌Los **espejos**

Los espejos, según la intención con la que se usen, pueden atraer, rechazar, amplificar, elevar, expandir, proteger o bendecir un área. No importa ni el tamaño ni la forma de los espejos que se coloquen. Lo más importante es dónde se colocan, especialmente si es dentro de la casa. Hay que evitar tenerlos enfrente de la puerta de entrada de la vivienda o de la habitación, así como evitar colocarlos enfrente o a los lados de la cama de forma que la refleje.

No es recomendable colocar espejos de tal manera que reflejen la oscuridad, espacios saturados o largos pasillos, pues de esta manera los malos efectos se multiplican. Tampoco se aconseja que el espejo refleje la cabeza o el cuerpo entero de una persona sentada en un escritorio o en una mesa.

Los que reflejan cosas bonitas, como flores, plantas o fuentes, atraen las energías positivas y creadoras de la naturaleza.

La **fuerza** nutricia

Esta fuerza está relacionada con las plantas, los animales, las flores, los acuarios y las peceras. Los animales y las plantas están relacionados con el Chi del crecimiento. Incorporar animales y plantas en nuestros espacios habituales es bueno para mejorar nuestra concentración. Los peces son elementos excelentes para incorporar a nuestra vida. Representan la vida en el agua. Algunas culturas orientales recomiendan tener peceras para eliminar el estrés mental y el cansancio; otras sostienen que fomentan la prosperidad económica.

Las plantas siempre son sinónimo de vida y energía nueva de la naturaleza. Hay que evitar colocar cactus si no se tienen los conocimientos precisos de dónde son los lugares adecuados para este tipo de plantas. Si las plantas crecen sin dificultad significa que hay buen Chi espacio temporal y si florecen con facilidad será bueno para los proyectos y los planes. Cuando las flores de un jarrón se marchitan hay que quitarlas lo antes posible. Si una planta no crece o se debilita hay que cambiarla por otra más grande, porque esto significa que está absorbiendo energía negativa del ambiente.

Las **esferas** de cristal

Las esferas de cristal tienen la cualidad de refractar, difundir, reflejar, expandir y amplificar la luz visible y espiritual. A su vez, contribuyen a la expansión mental, espiritual y de las ideas.
Es positivo colocarlas sobre la cabeza de las personas. Por ejemplo, sobre un escritorio o el cabecero de la cama. Las esferas de cristal disuelven las tensiones y aportan libertad a las relaciones.

El **color**

El color es una de las formas más atractivas de crear energías positivas y estimulantes. Además, los colores pueden usarse para múltiples propósitos.
Hay que evitar los colores fuertes o los oscuros, como el negro o el azul marino, y los colores de la gama del rojo, pues son agresivos e intimidantes.
Si no se tiene muy claro de qué color pintar un ambiente es preferible elegir el blanco o los colores pastel, tratando siempre de mantener la armonía visual.

▶ El **sonido**

Para crear energía sonora, el Feng Shui propone la utilización de campanillas, móviles de metal o bambú, o tambores. Crear sonidos es estimulante y potencia el Chi personal.

Los sonidos producen alegría y funcionan como energía protectora.

Los móviles deben estar en buenas condiciones. Es mejor colocarlos en las esquinas de la casa. Los de metal se orientarán hacia el Oeste y los de bambú, hacia el Este. El metal nos traerá éxito y riqueza. La madera atrae la prosperidad. Las campanillas de metal renuevan la energía del ambiente porque tienen la capacidad de despertar las fuerzas Yang. Se aconseja su utilización cuando los ánimos estén decaídos o cuando los habitantes de una casa se sientan cansados o desanimados.

▶ Objetos **móviles**

Los objetos móviles pueden crear energía activa y alegre, así como también fluida, suave y calmante. Para esto se utilizan molinillos y mangas de viento. Estos objetos se mueven con el aire, simbolizando armonía, luminosidad y color.

▶ Objetos **pesados**

Ubicados correctamente, las piedras, las estatuas o los muebles pesados generan influencias sólidas y estabilizadoras, pero hay que evitar acumular demasiados de estos objetos.

▶ El **agua** y los elementos

El agua y los elementos relacionados con ella fomentan y protegen el crecimiento y la buena fortuna. El agua representa la riqueza y la prosperidad. Posee el poder de disolver los efectos negativos del ambiente. El agua o los recipientes que la contengan, como acuarios, peceras o jarrones, siempre son bienvenidos en las casas o en los lugares de trabajo. Puede ser agua en movimiento, agua quieta o estar representada por imágenes. La riqueza y la abundancia también se pueden estimular colocando fotos de cascadas, móviles de peces o también acuarios con peces de colores.

▶ El **agua** quieta

El agua quieta de los estanques o piscinas representa la riqueza acumulada. Si el agua es clara y transparente contribuye a la claridad mental y a una situación financiera saneada. De lo contrario, se crearían confusiones y malentendidos.

Algunas escuelas del Feng Shui recomiendan colocar los recipientes con agua en la parte oeste de las edificaciones. Esta zona es considerada como propicia para la prosperidad económica y la estimulación del libre fluir del Chi.

▶ El **agua** en movimiento

Posee energía dinámica que genera prosperidad y riqueza. En su estado activo representa el flujo del dinero. Se pueden utilizar fuentes pequeñas, jarrones o cuencos con agua.

▶ El **incienso**

El incienso crea calidez en el ambiente, lo limpia, purifica y transmite vibraciones calmantes que invaden todos los espacios de la casa. La elección de un aroma es algo subjetivo e individual. Para las personas que no están habituadas a su uso se recomienda elegir aromas suaves o algunos que ya sean conocidos. Los inciensos puros tienen aromas más fuertes y penetrantes. El humo del incienso suaviza las energías de los ambientes absorbiendo la energía negativa que permanece en la superficie, en el aire. Los habitantes de la casa se vuelven más dialogantes y tolerantes. Los aromas frescos y agradables proporcionan al hogar calidez y sensación de limpieza.

CAPÍTULO 13

El **espacio** infantil

Los niños le dan color a las casas y las transforman en hogares repletos de energía y vitalidad. Esta etapa de la vida está relacionada, según la filosofía oriental, con el elemento madera. Representa la actividad, la iniciativa, la concentración y la creatividad. Desde el Feng Shui se intenta crear ambientes armónicos y alegres para los niños. Los diferentes colores, texturas y formas son elementos importantísimos a la hora de decorar los espacios infantiles. Se buscan espacios que estimulen sus sentidos a la vez que los haga sentirse seguros y felices.

cosas que aprenderemos...

El dormitorio infantil

Los niños pasan mucho tiempo en su habitación, ya sea para jugar, descansar, leer o estudiar. Por eso es tan importante lograr un ambiente acogedor, que estimule sus sentidos, su imaginación y su creatividad. Al tiempo que debe ser un espacio seguro propicio para el reposo y el descanso.

La zona de juegos

Cuando no se dispone de un cuarto de juegos y estudio, es muy importante que el dormitorio incluya estos espacios de una manera bien diferenciada y armónica. Una forma divertida de separar simbólicamente el rincón del descanso con el de juegos es a través del color. Los niños crecen con más vitalidad y desarrollan en mayor grado sus sentidos si crecen en espacios con diversidad de colores.

Los colores

Hay que evitar pintar con colores excitantes, como el rojo, el naranja o el amarillo, las paredes. Es preferible utilizar colores suaves, como el celeste, el rosa o las gamas más suaves del azul y el verde. Además, conviene colocar cojines o cuadros con motivos infantiles que contengan el resto de los colores.

El **cuarto** de los niños

EL FENG SHUI RECOMIENDA QUE EL CUARTO DE LOS NIÑOS ESTÉ LO MÁS ALEJADO POSI-
BLE DE LA PUERTA DE ENTRADA DE LA CASA Y ORIENTADO HACIA EL ESTE. EL CRECIMIENTO,
LA INICIATIVA, LA CREATIVIDAD Y LA CONCENTRACIÓN SON CARACTERÍSTICAS PROPIAS DEL
ELEMENTO MADERA, CUYA ORIENTACIÓN ES EL ESTE. DE ESTA MANERA, NOS ASEGURAMOS
DE QUE LA HABITACIÓN RECIBA ABUNDANTE LUZ NATURAL.

*Si en el cuarto no hay
suficiente luz natural,
bastará con colgar un objeto
amarillo en la pared
orientada hacia el Este.*

A través del Feng Shui y de la
utilización de sus múltiples herramientas
podremos crear ambientes para los niños
que estimulen y desarrollen sus sentidos.
Por ejemplo, agregando diferentes colores
en los ambientes estaremos contribuyendo
a activar el sentido de la visión. Utilizando
texturas diversas, como alfombras sobre un
suelo de parqué o cojines de distintas telas,
ayudaremos a desarrollar el sentido del
tacto. Es bueno que los ambientes de los
niños estén aromatizados con fragancias
suaves, como lavanda o manzana, para
activar el olfato. La música es tan
importante para los niños como para los
adultos, pues estimula todas las emociones,
invitando a bailar y a reír si es alegre.
Es muy importante proporcionarles desde
pequeños juguetes o instrumentos
musicales con el objetivo de activar el
sentido auditivo y despertar emociones.
Finalmente, para el Feng Shui es
fundamental activar el movimiento en los
espacios que habitamos. Para este
propósito, son útiles los móviles o los
molinillos de viento, que a la vez que
aportan movimiento colorean
los espacios.

▶ Ambientes **alegres**

Creando ambientes alegres y funcionales
para que los niños desarrollen sus sentidos
les ayudaremos a crecer con seguridad, en
libertad y en armonía con el ambiente que
les rodea.

◗ Algunas **ideas**

Poner una pizarra en la pared para dibujar en cualquier momento o tener un corcho para que puedan colgar sus obras de arte son ideas que podemos poner en práctica fácilmente.

Es importante también que tengan muebles y espacio para guardar sus juguetes. El espacio para jugar tiene que ser alegre y seguro, invitar al juego, a la imaginación. El Feng Shui aconseja que la estancia esté pintada de colores alegres y energéticos como el amarillo, el verde o el azul en sus gamas claras. Si se usan tonos oscuros pueden achicar la habitación.

Es bueno también colocar alfombras pequeñas, almohadones y cojines con motivos infantiles para que se sientan arropados y protegidos.

◗ La **naturaleza**

Los niños, al igual que los adultos, necesitan de un contacto regular con la naturaleza, los animales y las plantas para mantener el equilibrio. Las salidas al parque o a zonas verdes en donde puedan jugar, correr y tocar es primordial en los primeros años de vida. También es muy importante que tengan en la casa plantas, mascotas o peces. El contacto con los animales y su cuidado les hace perder el miedo y les enseña a relacionarse de una manera natural con su entorno.

El cuidado de un animal les hará en un futuro más responsables con el medio ambiente.

RECUERDE QUE...

◗ Cuidar animales ayuda a los niños a vencer temores y a relacionarse mejor con el entorno.

◗ La zona de juegos ha de ser alegre y segura.

◗ Las fragancias suaves son apropiadas para el dormitorio infantil.

◗ En los primeros años de vida conviene que jueguen en parques y espacios verdes.

[58] El **color**

Cada color, con unas características y representaciones diferentes, se utiliza para reconducir la energía.

EL COLOR ES UN ELEMENTO MUY UTILIZADO POR EL FENG SHUI PARA FAVORECER LAS ENERGÍAS DEL HOGAR Y DE LAS PERSONAS. CONOCER SUS CARACTERÍSTICAS GENERALES NOS AYUDARÁ A ENCONTRAR LOS COLORES MÁS APROPIADOS PARA UTILIZAR EN EL CUARTO DE LOS NIÑOS.

❯ Amarillo

El color amarillo suple la falta de luz en ambientes un poco oscuros y amplía los espacios. Representa el sol, las energías renovadoras, el optimismo, el dinamismo y la claridad. Si es muy intenso puede provocar ansiedad. No se recomienda en las habitaciones de los bebés, pues éstos lloran más en ambientes amarillos.

❯ Rojo

El rojo es el representante del elemento fuego. Se asocia con el amor, la pasión, pero también con la agresividad. Estimula la acción, la competitividad, el apetito, da calor y refuerza la energía vital. No se recomienda pintar muchas paredes de una casa de color rojo. Sí son aconsejables adornos o cojines rojos que formen parte de un ambiente armónico en donde estén representados todos los elementos. Es uno de los colores más poderosos del espectro.

❯ Naranja

El naranja se asocia con el fuego, con la aurora y con la luz solar. Transmite alegría, placer y regocijo. Estimula el apetito y la conversación.

❯ Rosa

El color rosa es símbolo de candidez, ingenuidad, piedad y empatía. Refleja el afecto, los buenos sentimientos y la amabilidad. Sus tonos claros tienen efectos calmantes y relajantes. Estos últimos se recomiendan para decorar dormitorios para bebés.

▶ Violeta

El violeta, en su variante lila o lavanda, indica ausencia de tensión. Está asociado a lo femenino. Según algunas escuelas de Feng Shui, indica exclusividad y autoridad, pero también puede significar calma y autocontrol. Se recomienda para dormitorios destinados a adolescentes, si bien deben evitarse en las zonas de juegos destinadas a los niños pequeños.

▶ Verde

El verde es el color de la naturaleza. Como tal, se asocia al aspecto natural de las cosas, a la fertilidad, a la juventud, al crecimiento y al descanso. Se utiliza para fortalecer las energías de expansión y de crecimiento emocional. Es el color de la esperanza y transmite seguridad y equilibrio. En el Feng Shui, es el color asociado al elemento madera. Por lo tanto, es muy adecuado para las habitaciones infantiles, siempre y cuando sean espacios bien iluminados pues este color puede oscurecer la habitación haciéndola más pequeña.

▶ Azul

El azul es el color más poderoso, después del rojo. Tiene un efecto calmante que se asocia con la seguridad física y los sentimientos pacíficos. Es un color sedante, baja las pulsaciones y la presión sanguínea. Transmite confianza, reserva, amistad, fidelidad y armonía. Está asociado con el elemento agua y la inmortalidad. Es muy bueno para los espacios destinados al estudio y el conocimiento. Sus tonos más oscuros pueden achicar los ambientes. Es preferible utilizar tonos más claros y siempre y cuando la habitación esté bien iluminada.

▶ Blanco

El blanco es el color que se identifica con la paz, la inocencia, la divinidad, la calma y la armonía. Es un color que purifica y estimula, que simboliza la pureza y la limpieza. Se trata del color del elemento metal, de la suma de todos los colores, pero para el Feng Shui también conlleva frialdad y distancia. No se aconseja, por este motivo, para el cuarto de los niños en su totalidad. Si se combina con colores cálidos, favorecerá la actividad intelectual y la imaginación, y dará más luz al ambiente.

▶ Negro

A pesar de que en las sociedades occidentales el negro se asocia con la modernidad y se ve como un color elegante, tradicionalmente ha tenido una connotación negativa al ser relacionado con sentimientos de tristeza, angustia o miedo. Esto último por su identificación con la noche y la oscuridad, lo oculto, lo desconocido. En general, no se recomienda para ninguno de los espacios de la casa.

▶ Colores naturales

Son colores naturales los de la madera, el color habano, maíz, beis y el crudo. Es recomendable usarlos en combinación con otros tonos más vivos, al igual que sucede con el blanco, para que no desfavorezcan la creatividad. Combinados con colores alegres, se aconsejan en caso de niños nerviosos o hiperactivos pues les ayuda a relajarse.

◗ La cama

Durante los primeros años de vida, la cama es un espacio donde jugar. Una diversión muy propia de estos años es saltar sobre el colchón una y otra vez. Por este motivo, se recomienda colocar en el cuarto infantil una cama robusta, ni muy estrecha ni muy alta, y con cantos redondeados. Así propiciaremos que el juego se desarrolle con seguridad y los niños se sientan tranquilos y felices de poder saltar sobre la cama.

▶ La **ubicación** de la cama

Siguiendo las premisas del Feng Shui, la cama no debe ubicarse de manera que quede frente a la puerta de entrada del dormitorio ni debajo de una ventana, pues ambas colocaciones provocan inseguridad. El cabecero debe apoyarse sobre una pared para brindar seguridad y protección. Las camas tampoco deben estar ubicadas junto a un toma de corriente o aparatos eléctricos, ya que esto alteraría el descanso y podría provocar ansiedad e inquietud.

▶ Los **muebles**

Es muy importante para los niños y los padres que el dormitorio infantil sea un lugar seguro. En este sentido, que los muebles posean cantos redondeados es fundamental porque, además de permitir el libre flujo de la energía, son más seguros para los pequeños, que suelen corretear por la casa como si estuvieran en el parque.

Al estar relacionada esta etapa de la vida con el elemento madera, los muebles de madera clara son los más recomendados. Es importante que sean muebles bajos, de manera que no dificulten sus movimientos ni les cueste acceder a ellos.

[59] Los **muebles** infantiles

La correcta ventilación de las habitaciones es indispensable para que fluya el buen Chi en nuestra casa.

LAS VENTANAS SON INDISPENSABLES EN NUESTROS HOGARES. POR ELLAS ENTRA EL AIRE QUE PURIFICA EL AMBIENTE Y EL SOL QUE NOS CALIENTA, NOS TRANSFORMA Y RENUEVA NUESTRA ENERGÍA Y LA DE NUESTRO ENTORNO. POR ESO, EN LOS DORMITORIOS Y LOS ESPACIOS DE ESTUDIO DE LOS NIÑOS HAY QUE TENER ESPECIAL CUIDADO CON ELLAS.

En el caso de que los dormitorios infantiles den a calles demasiado ruidosas, se recomienda instalar dobles ventanas para que el bullicio no perjudique el ambiente apacible que necesitan los niños para descansar y jugar. En cuanto a las zonas de estudio, un escritorio colocado mirando a una ventana favorecerá la dispersión y la falta de concentración del niño.

Otro elemento muy útil para aislar la habitación del ruido externo es colocar cortinas gruesas.

▶ La **iluminación**

Como en el resto de los ambientes de la casa, en el cuarto de los niños tampoco se recomienda colocar luces fluorescentes o focos halógenos.

Este tipo de lámparas utiliza un pequeño transformador que genera campos electromagnéticos que resultan ser perjudiciales para la salud porque alteran el descanso.

En los dormitorios infantiles se recomienda tener dos fuentes de luz artificial. Por un lado, una luz general y más intensa y, por el otro, una más suave para la noche; por ejemplo, un aplique en la pared. El objetivo es crear un ambiente adecuado para el juego y la diversión, y otro más armonioso y tranquilo que induzca al descanso. También se recomienda para los mas pequeños tener una luz auxiliar encendida durante la noche, que les transmita seguridad y ahuyente sus terrores nocturnos.

▶ Espacios para **jugar**

Los niños pasan mucho tiempo jugando, aprendiendo y preguntando. Por tanto, es importante tener un espacio destinado al juego. Cuando no se dispone de un cuarto específico para jugar, el dormitorio pasa a desempeñar esta función. Teniendo esto en cuenta, esta habitación ha de estar decorada con creatividad para favorecer la imaginación del niño y estimular sus sentidos.

También conviene que haya variedad de colores y de texturas. Y, sobre todo, ha de ser un lugar seguro para que el pequeño se sienta resguardado y en libertad.

▶ El **televisor**

Si bien los niños suelen permanecer bastante tiempo frente al televisor, no es recomendable colocar uno en los dormitorios infantiles.

El televisor genera energía Yang a consecuencia de la luz y las imágenes en movimiento que emite, pero a la vez crea a su alrededor ambientes con energía Yin. Es un aparato que tiende a dominar el espacio, contribuyendo a la falta de comunicación. En el caso de los niños, funciona como un obstáculo para el juego y el aprendizaje. Se aconseja tener a mano juegos didácticos que supongan un desafío para sus inquietas mentes; esto les ayudará a no pasar demasiadas horas frente al televisor.

Siempre y cuando la televisión no se transforme en un sustituto del resto de sus actividades, no será perjudicial. En general, se recomienda colocar el aparato en un mueble con puertas, para poder ocultarlo.

[60] La **zona** de estudio

Si el ordenador tiene que permanecer en el dormitorio, es recomendable que se ubique a la izquierda del escritorio.

SEGÚN LAS PREMISAS DEL FENG SHUI, EL LUGAR DESTINADO AL ESTUDIO DE LOS NIÑOS DEBERÍA ESTAR SEPARADO DEL LUGAR DEDICADO AL JUEGO Y AL DESCANSO. SI ESTO NO FUERA POSIBLE, ES MUY IMPORTANTE COLOCAR EL ESCRITORIO ALEJADO DE LA CAMA, CREANDO UNA SEPARACIÓN AUNQUE SEA VISUAL. POR EJEMPLO, SE PUEDE PINTAR ESTE ESPACIO DE COLOR AZUL CLARO PARA FAVORECER LA CONCENTRACIÓN Y LA TRANQUILIDAD. EL BLANCO, EL NEGRO, EL GRIS O LOS MARRONES NO SON COLORES QUE FAVOREZCAN EL RENDIMIENTO DE LOS NIÑOS, POR LO TANTO, SE DESACONSEJAN PARA LOS ESPACIOS QUE ELLOS OCUPEN.

Recordemos que la posición ideal del escritorio o de la mesa de estudio es alejada de la ventana, que es un foco de distracción. Estos muebles nunca deben quedar frente a la puerta de entrada ni de cara a la pared. Lo ideal es que la silla se apoye contra una pared y que haya otra pared por el lado izquierdo, no por el derecho. La pared posterior dará seguridad y protección. Es preferible colocar el ordenador y los artefactos electrónicos al lado izquierdo del escritorio. La correcta colocación de este mueble mejorará el rendimiento escolar.

Es importante proporcionarles a los niños el espacio necesario para que guarden y mantengan ordenados el material de estudio, colocando baldas, cajones y librerías.

▶ El **dormitorio** del bebé

El Feng Shui aconseja crear para el bebé un ambiente cálido, en donde se sienta protegido.

Es una habitación que se decora con mucho amor y expectativas. Se sugieren los colores claros para las paredes, preferiblemente los rosas o los celestes, nunca el amarillo pues suelen llorar más en ambientes pintados de este color. Conviene colocar objetos de distintas texturas y les encantan los móviles musicales. Es muy importante respetar las condiciones de seguridad necesarias para que no haya accidentes.

Mantendremos el cuarto del bebé limpio y ordenado, y no olvidaremos abrir las ventanas diariamente para purificar el aire.

▶ Compartir el **dormitorio**

Aunque algunos padres desearían tener una habitación para cada uno de sus hijos, esto no siempre es factible.

Además, el hecho de que dos hermanos compartan el mismo espacio para jugar y descansar puede ser beneficioso para el día de mañana integrarse correctamente en sociedad.

Aprenderán a compartir, convivir, prestarse los juguetes, relacionarse con el otro, respetarse y también a defenderse y hacerse respetar.

▶ Dormitorio para **adolescentes**

Esta etapa de la vida se caracteriza por la búsqueda de la identidad. Por ello, el dormitorio se irá transformando en función de las nuevas inquietudes y actividades.

Es muy importante que los adolescentes tengan el espacio que necesitan para expresarse y desarrollar sus ideas.

En esta etapa, es más difícil que los padres les decoren sus dormitorios, ya que éstos pasan a ser sus trincheras más defendidas e íntimas. Pero sí se puede aconsejar sin imponer. Por ejemplo, el Feng Shui recomienda el color púrpura por tratarse de una tonalidad juvenil. Además, indica que nuestros jóvenes deben contar con los muebles necesarios para mantener ordenado su material de estudio. Es importante que dispongan de un ambiente armónico que les permita desarrollar sus inquietudes intelectuales y los estimule.

El **espacio** para los niños

[61]

LA HABITACIÓN DE LOS NIÑOS SUELE SER, A LA VEZ, UN LUGAR PARA EL DESCANSO Y EL JUEGO. EN SU CONJUNTO, LA DECORACIÓN DE LA MISMA HA DE PERMITIR TANTO EL EJERCICIO DE LA CREATIVIDAD COMO LA DISTRACCIÓN Y EL BUEN DESCANSO.

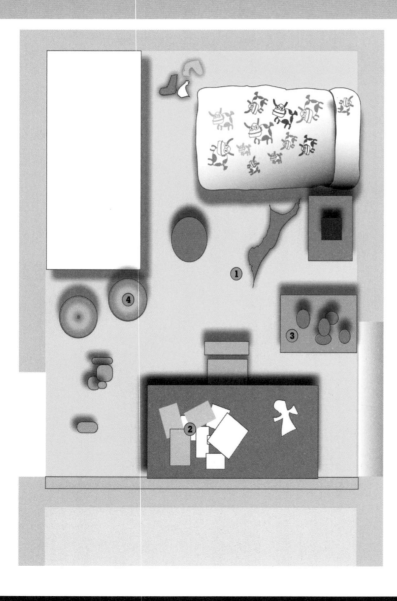

▶ Espacio desordenado

Una distribución no ajustada a las normas de esta ciencia milenaria provocará una acusada sensación de desorden. Entre otros consejos, evitaremos formar ángulos rectos con los muebles, la superposición de las diferentes áreas, los colores fuertes y la ausencia de alfombras.

1 ZONA DE JUEGOS
Podemos observar en el dibujo la ausencia de una zona de juegos diferenciada.

2 DESORDEN
Intentaremos evitar un aspecto desordenado en este espacio, tanto a través de la distribución del mobiliario como cuidando la recogida de juguetes después de utilizarlos.

3 MUEBLES CON ESQUINAS
Un mobiliario con esquinas dificulta el descanso de los más pequeños.

4 ALFOMBRAS Y COLORES
La ausencia de una alfombra potencia la fuerza del suelo sobre el hábitat. Tampoco son recomendables los colores con tonalidades intensas, pues crearían nerviosismo e impedirían un sueño reparador.

Los juguetes deberán guardarse después de los ratos de diversión.

Los tonos suaves combinados con otros alegres y luminosos atraen la energía positiva.

Los aparatos electrónicos emiten radiaciones nocivas para la salud. Los más pequeños no deben permanecer excesivo tiempo delante de las pantallas de un ordenador o televisor.

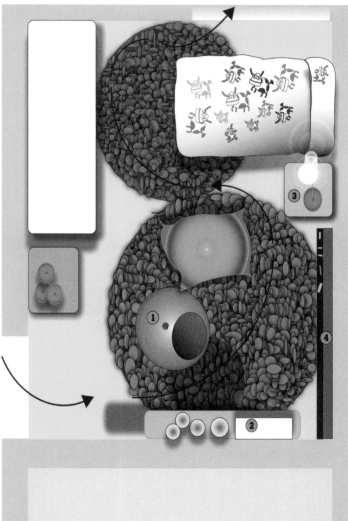

▶ Espacio ordenado

La habitación de los niños diseñada según aconseja el Feng Shui seguirá unas sencillas normas, como la diferenciación de la zona de juegos de la del descanso. También es importante mantener el orden, la armonía y la sensación de calidez.

1 Zona de juegos
Una zona de juegos diferenciada del área de descanso permitirá que los niños duerman mejor.

2 La importancia del orden
El orden es fundamental para conservar la armonía en el espacio destinado a los más pequeños. Resultan muy útiles las cajas para guardar juguetes.

3 Muebles redondeados
Todos los muebles han de tener las esquinas redondeadas para permitir un buen descanso de los niños.

4 Una pizarra y colores suaves
Una pizarra en la pared permitirá que el niño tenga un lugar donde desarrollar su creatividad. Asimismo, emplearemos colores suaves en la habitación para dotar de calidez el lugar.

CAPÍTULO 14

El **sueño** y el Feng Shui

PARA LAS TEORÍAS ORIENTALES, EL DESCANSO ES DE VITAL IMPORTANCIA. DURMIENDO RECUPERA-
MOS FUERZAS Y REJUVENECEMOS. SI LOGRAMOS UN SUEÑO REPARADOR, EL CUERPO SE RE-
LAJARÁ DE LAS TENSIONES DEL DÍA Y SE LEVANTARÁ RENOVADO. DESCANSAR
Y DORMIR NOS PERMITE VIVIR MÁS Y MEJOR.

cosas que aprenderemos...

Un descanso reparador

Teniendo en cuenta que pasamos un tercio de nuestra vida en la cama, es decir, aproximadamente veinticinco años, deberíamos darle a las horas de descanso la importancia que se merecen y proporcionar a nuestro cuerpo y mente las comodidades necesarias para que logre un descanso sanador y reparador.

El dormitorio

El dormitorio es el lugar de descanso por excelencia. En él pasamos muchas horas de nuestra vida. Es el espacio no sólo del sueño y del descanso, sino también de la reflexión, de la convivencia, de la vida en pareja y de las relaciones íntimas. Siguiendo las premisas del Feng Shui, debemos lograr que éste sea un lugar armónico, que nos trasmita paz y serenidad, que no esté recargado de mobiliario, que sea cómodo y que haya equilibrio en sus dimensiones y proporciones. En él debe fluir la energía en libertad, positivamente, lo que nos permitirá despertarnos, no sólo más descansados, sino también más fuertes y vitales para afrontar el día a día.

Horarios fijos

Una rutina que el cuerpo agradecerá es irse a dormir y levantarse todos los días más o menos a la misma hora, incluso los fines de semana. Por la mañana es bueno que el cuerpo reciba la luz del sol, ya que la exposición cotidiana a la luz nos ayuda a ajustar el despertador del cerebro.

La **cama** ideal

Dormir cerca del ordenador nos impedirá conciliar un sueño profundo y reparador.

LA CAMA ES EL MUEBLE QUE GOBIERNA EL DORMITORIO, EN EL CUAL NUESTRO CUERPO REPOSA. ES MUY IMPORTANTE QUE SUS PROPORCIONES SEAN ARMÓNICAS EN FUNCIÓN DEL ESPACIO DEL QUE DISPONEMOS. ADEMÁS, NO DEBE ESTAR RODEADA DE MULTITUD DE OBJETOS NI TAMPOCO SE ACONSEJA TENER TRASTOS DEBAJO O DETRÁS DE ELLA.

El Feng Shui aconseja hacer una limpieza periódica y tirar todos los trastos que se han acumulado debajo o alrededor de la cama. No se recomienda tener fotos, ropa vieja ni cajas con recuerdos escondidos debajo de ella. Todos estos objetos aportan energía cansada y negativa del pasado, estancando el flujo de nuestra energía presente.

La cama, así como todo su alrededor, debe estar limpia y ordenada. No se recomienda ubicarla debajo de una ventana, pues esta colocación provocaría inseguridad y falta de protección. Tampoco conviene situarla junto al baño o al lado de una pared por la que pasen las tuberías, pues éstas estimulan una energía vital dificultadora del descanso y favorecedora del insomnio.

De ninguna manera se aconseja que la cama quede enfrente de la puerta o entre la puerta y una ventana. Si esto sucediera, se recomienda colocar cortinas o biombos, de modo que se cree una separación.

❯ La **posición** ideal

La posición ideal de la cama es aquella desde la que se puede ver la puerta de entrada, pero sin estar justo enfrente. Las escuelas de Feng Shui proponen diferentes orientaciones para el cabecero de la cama, según las distintas creencias. Debemos recordar que lo que veamos desde la cama será lo último que veamos antes de dormir y lo primero con lo que nos encontraremos al despertar. En este sentido, es preferible que quede ante nuestros ojos algo agradable, que nos dé seguridad y nos transmita serenidad y

armonía. Si la imagen que vemos es caótica, nuestro descanso se verá perturbado. En cambio, si la imagen es armónica, esa percepción nos transmitirá mayor placidez.

▶ Las **escuelas** Feng Shui

Según la escuela de Feng Shui que pongamos en práctica, encontraremos diferentes opciones a la hora de colocar el cabecero de la cama, ya que no todas coinciden en cuál es la posición idónea para lograr el descanso más reparador. Casi todas las escuelas creen que la orientación más conveniente es hacia el Norte. Sin embargo, es interesante saber que hay escuelas que opinan que no existe una orientación mejor que otra. Según la posición del cabecero, estaremos estimulando energías de diferente tipo. Por ejemplo, si lo colocamos hacia el Norte, se fortalecerá la salud y la energía vital. Si, en cambio, necesitamos favorecer la intuición y estimular los sueños y la capacidad de retención, se aconseja colocar la cama hacia el Sur.

Para aliviar el estrés y la agitación, tanto física como mental, es mejor colocarla hacia el Oeste. Finalmente, si lo que buscamos es un poco de fuerzas positivas para renovar el dinamismo y las ganas de vivir, lo mejor es colocar el cabecero de la cama hacia el Este, por donde sale el sol, fuente de vida, luz y energía.

La aplicación de estos consejos dependerá, sobre todo, de las proporciones y posibilidades de nuestro dormitorio. Pero tenerlos en cuenta nos permitirá crear un ambiente en equilibrio que favorezca la paz y la tranquilidad necesarias para un descanso profundo que nos proporcione felicidad.

▶ Cómo conseguir un **sueño** reparador

Un sueño reparador, según el Feng Shui, es muy importante para que el Chi fluya y para tener una vida armónica en todos los sentidos.

Algunas indicaciones muy simples pueden servirnos para conseguir este propósito. Por ejemplo, la cama tiene que estar lo más alejada posible de la puerta, aunque desde ésta debemos ver la entrada de la habitación.

La vista que tengamos desde la cama debe ser agradable. En caso de no ser así, habrá que iluminar esa zona correctamente para que no produzca un desequilibrio.

Otra solución para conseguir un sueño tranquilo y reparador será evitar los objetos de colores oscuros en la habitación y, además, sacar cualquier aparato electrónico que tengamos encendido.

▶ El **colchón**

Elegir un buen colchón es fundamental para un descanso apropiado. Si el colchón está viejo o en mal estado, generará energías negativas a la hora de dormir. También será el responsable de dolores de espalda o de cabeza, que nos pueden afectar durante el día. Así, un colchón inapropiado no nos permitirá descansar cómodamente y en profundidad. En este sentido, el Feng Shui aconseja prestar especial atención al comprar un colchón y cambiarlo tan pronto como veamos que ya no está en buen estado. Los recomendados son los de látex de buena calidad; hay que evitar los colchones de muelles, que atraen las perturbaciones del subsuelo. La almohada es de igual importancia. Deberíamos utilizar una que mantenga la espalda alineada con la cabeza. La correcta elección del colchón y de la almohada nos evitará futuros problemas de salud.

[63] Los **objetos** del dormitorio

Una mesilla de noche repleta de objetos no favorece el flujo de la energía positiva.

ELEGIR LAS SÁBANAS Y EDREDONES NO DEBE SER UN ACTO CASUAL. SI QUEREMOS DARLE A NUESTRO DORMITORIO CALIDEZ Y CONFORT SE RECOMIENDA QUE OPTEMOS POR COLORES CÁLIDOS Y LISOS, COMO LOS NEUTROS (COLOR MARFIL, LINO, ETC.). LAS RAYAS SON SÍMBOLO DE INESTABILIDAD Y LAS SÁBANAS SOBRECARGADAS DE IMÁGENES, CUADROS O FLORES RESULTAN UN TANTO AGRESIVAS PARA LAS LARGAS HORAS QUE NOS ESPERAN DE DESCANSO. ES PREFERIBLE ARROPARNOS CON TELAS SUAVES AL TACTO, QUE NOS INVITEN A ACOSTARNOS.

Para preservar el área de descanso y propiciar una atmósfera de tranquilidad y armonía, el dormitorio no debería estar repleto de objetos y muebles que perturben nuestro sueño. Es importante conservar los objetos que nos traigan buenos recuerdos, pues favorecen la energía positiva, y tirar todos aquellos que estén asociados con recuerdos dolorosos o molestos. Por otra parte, tampoco el Feng Shui recomienda tener televisores, escritorios u ordenadores en el mismo espacio en el que dormimos. Estos artefactos provocan nerviosismo e inquietud. La presencia, por ejemplo, de un escritorio o del ordenador nos recuerda permanentemente el trabajo que aún debemos hacer.

El Feng Shui promueve la idea del equilibrio, el placer y la armonía. En este sentido, aconseja el uso de sofás pequeños, divanes o butacas, pues refuerzan la idea de comodidad y descanso, siempre que los elijamos en proporción con el espacio del que disponemos.

Los **espejos**

Son objetos poco recomendados. Si, por alguna razón, hubiese alguno que no se pueda cambiar de lugar, hay que evitar que refleje la cama. Los espejos funcionan como activadores energéticos despertando nuestros sentidos y, por tanto, dificultando el sueño. Al multiplicar las imágenes y los movimientos, interfieren en nuestro descanso.

Una buena opción es colocarlos dentro del armario en una de sus puertas. Si alguno quedase a la vista, se pueden utilizar velos o telas de colores para taparlos durante la noche.

La **cama** para dos

Según el Feng Shui, la armonía de la pareja se puede ver favorecida si tenemos en cuenta algunas cuestiones. Por ejemplo, se recomienda que la pareja no duerma en una cama doble con dos colchones separados. Lo que puede parecer algo sin importancia a la larga puede conllevar un distanciamiento.

Otra recomendación es que las mesillas de noche y sus lámparas sean iguales.

La **iluminación**

Como en el resto de la casa, en esta estancia tampoco se recomienda utilizar lámparas fluorescentes o halógenos. Las primeras son demasiado blancas y dan al ambiente una sensación fría y distante. Las segundas, al requerir de un transformador, emiten campos electromagnéticos muy perjudiciales para un descanso pleno y profundo. Lo mejor es que la luz natural invada el ambiente para renovar las energías, y que la luz artificial cree un ambiente acogedor y cálido que nos invite a la intimidad y al descanso reparador.

Otros **aspectos**

Lo importante es la armonía, el sosiego, el equilibrio y, en el dormitorio de la pareja, también la calidez y la ternura. Un ambiente con energías armónicas transmite seguridad y serenidad a quienes lo habitan.

▶ Los **armarios**

Los armarios, como el resto de la casa, deben mantenerse limpios y ordenados. La sensación de desorden resulta, en general, muy desestabilizadora.

Si al abrir el armario cada mañana recibimos una imagen desordenada, es evidente que no comenzaremos bien la jornada.

Se aconseja elegir armarios, mesillas de noche o cómodas con bordes redondeados: los muebles con esquinas y salientes enturbian la armonía decorativa y obstaculizan el buen fluir de la energía Chi. Por otra parte, se debe evitar colocar armarios u otro tipo de muebles demasiado altos cerca de la cama.

El **mejor** descanso

64

No descansar bien esporádicamente no es motivo de alarma. El problema surge cuando el insomnio es crónico. La falta de sueño genera problemas de salud. Esta alteración en el descanso puede traer graves consecuencias en nuestra vitalidad diaria.

Los buenos hábitos a la hora de dormir nos evitarán problemas de salud.

Cuando no dormimos durante un tiempo prolongado, sufrimos problemas de concentración, tendencia a estar de mal humor y falta de energía corporal y mental. Por tanto, nos sentimos fatigados y puede que suframos alteraciones en el estado de ánimo y en la personalidad. Además de mantener nuestro dormitorio limpio, ordenado y equilibrado, debemos tener en cuenta ciertos hábitos que nuestro cuerpo agradecerá, como dedicarle algunas atenciones para que descanse mejor y más profundamente. Recordemos que los malos hábitos a la hora de dormir pueden transformarse con el tiempo en serios problemas de salud, como dolores de cabeza, de espalda, gastroenteritis y cardiopatías.

▶ El **color**

Siguiendo con la premisa de crear un ambiente equilibrado y placentero, aconsejamos los colores suaves y cálidos, preferentemente lisos. No deben pintarse las paredes con colores demasiado excitantes, como rojos, naranjas o amarillos. Se prefieren los tonos más suaves para crear ambientes armónicos, como los rosas, los azules y los amarillos pálidos. No se aconseja que las paredes estén demasiado cargadas con motivos de flores

o rayas. Este tipo de decoraciones altera la sensación de paz y estabilidad que necesitamos a la hora de dormir, activando la energía vital y creando inestabilidad. El Feng Shui recomienda sobriedad, equilibrio y armonía para favorecer un sueño profundo y un descanso óptimo que nos ayude a afrontar el nuevo día.

RECUERDE QUE...

▶ Colocar un aparato de televisión en el dormitorio perjudica notablemente las energías positivas de este ambiente. Son generadores de campos electromagnéticos sutiles, altamente perjudiciales para nuestro descanso. La velocidad de las imágenes altera notablemente la calidad del sueño y del reposo.

▎ Escribir las **preocupaciones**

Antes de ir a la cama es bueno parar unos minutos y escribir en una hoja nuestras preocupaciones o las actividades que tenemos pendientes.

Una vez hayamos dejado todo este lastre fuera, en un papel, nos sentiremos más aliviados y livianos para ir a dormir tranquilos y mucho más relajados.

Y esto será muy beneficioso a la hora de conciliar el sueño.

▎ La **cama**, para dormir

No es recomendable realizar actividades propias de la vigilia en la cama. Tareas como organizar la agenda del día siguiente, hacer la lista del supermercado, leer revistas o diarios, cualquier tarea que hacemos habitualmente durante el día no ayuda a que nos acostemos con la mente limpia y tranquila.

Por el contrario, estamos cargando de pensamientos y responsabilidades nuestra mente. Es preferible hacer todas estas actividades antes de ir a la cama. Nos tomaremos unos minutos para realizarlas y dejarlas fuera del dormitorio.

De esta manera, despejaremos la mente de preocupaciones y obligaciones.

Un consejo útil para las personas que tienen dificultades a la hora de conciliar el sueño es que no se obliguen a acostarse si todavía perciben que no van a quedarse dormidas.

Hasta que el sueño llegue, se puede tomar un baño de agua tibia, hacer algunos ejercicios de relajación corporal o, si se prefiere, tomar un vaso de leche tibia o infusiones de tila o valeriana. No se recomienda ir a la cama después de haber comido abundantemente. El proceso de la digestión se ve alterado mientras dormimos, así como el descanso se ve afectado por la digestión. Tampoco es aconsejable ir a la cama con hambre o con sed.

▎ Un **televisor** en la habitación

Ver la televisión o resolver los problemas con la pareja en la cama no nos proporciona la serenidad y la calma que necesitamos antes de ir a dormir. Es mejor reservar la cama para dormir o hacer el amor.

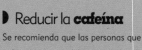

▎ Reducir la **cafeína**

Se recomienda que las personas que sufran trastornos del sueño no consuman grandes cantidades de cafeína durante el día, ya que esta sustancia no es tolerada por todos los organismos.

La sensibilidad a la cafeína varía de una persona a otra, pero, en cualquier caso, ésta sigue teniendo efectos estimulantes hasta ocho horas después de haber sido consumida.

La cafeína no sólo está presente en el café, sino en el té, el chocolate y las bebidas a base de cola.

El abuso de alcohol y nicotina también puede producir trastornos en el sueño.

65

El **sueño** y el Feng Shui

EL FENG SHUI NOS DA UNA SERIE DE INDICACIONES PARA HACER DEL DORMITORIO UN LUGAR ARMÓNICO QUE NOS RECARGUE DE ENERGÍA VITAL. DE NUEVO, LA ARMONÍA Y LA SENCILLEZ SON LA CLAVE PARA LOGRAR UNA ESTANCIA ACORDE CON ESTA CIENCIA MILENARIA.

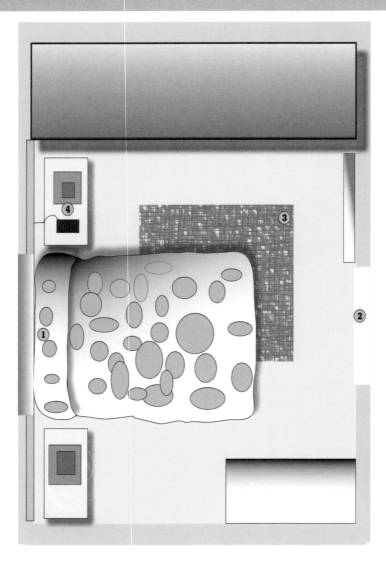

▌ Un sueño intranquilo

Una incorrecta ubicación y orientación de la cama o un mobiliario inadecuado nos impedirán conciliar un sueño profundo y reparador.

También están desaconsejados en esta estancia los colores fuertes o los aparatos electrónicos.

(1) EL CABECERO DE LA CAMA
Una ventana detrás del cabecero empujará rápidamente hacia el exterior de la casa nuestra energía vital.

(2) LA PUERTA
Una puerta frente a los pies de la cama impide el buen flujo de la energía vital.

(3) LOS COLORES
Los tonos fuertes no nos permiten descansar.

(4) MUEBLES Y OBJETOS ELECTRÓNICOS
Los muebles con aristas dificultan el descanso. Asimismo, los objetos electrónicos, como un despertador en la mesilla, harán que nuestro descanso no sea el correcto.

Tener la habitación ordenada y limpia es tan importante para nuestra energía como disfrutar de un sueño reparador.

Es fundamental encontrar el lugar adecuado para cada objeto. Unos armarios bien organizados nos transmitirán una sensación de orden y armonía que agradecerá nuestro estado de ánimo.

Las fotos de los hijos como elemento decorativo en el dormitorio puede ocasionar un distanciamiento de la pareja.

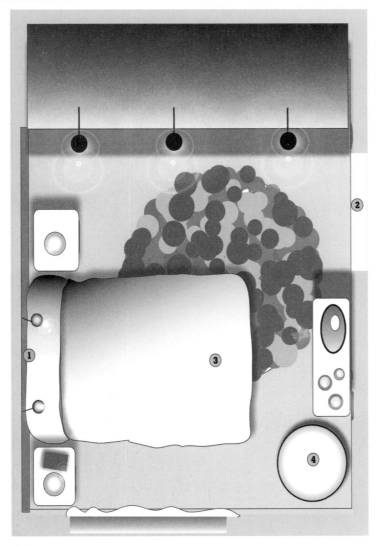

▶ Un sueño reparador

Conciliar un sueño profundo y reparador nos será más fácil si seguimos unos sencillos consejos sobre la disposición de los muebles y la conveniencia de determinados objetos.

1 El cabecero de la cama
Situaremos el cabecero de la cama en la pared del dormitorio orientada hacia el Norte. Un cabecero alto, además, nos hará sentir protegidos.

2 La puerta
No tendremos la entrada junto a los pies de la cama, si bien intentaremos ver siempre la puerta desde ella.

3 Los tejidos
La ropa de cama y otros elementos textiles estarán confeccionados con materiales de origen natural y en tonos suaves. Se recomienda especialmente el algodón de color blanco.

4 Los muebles
Los muebles con esquinas redondeadas propician un buen descanso.

CAPÍTULO 15

El **Feng Shui** en la cocina

LA COCINA, LA PUERTA DE ENTRADA Y EL DORMITORIO PRINCIPAL CONSTITUYEN LAS TRES ÁREAS MÁS IMPORTANTES PARA EL FENG SHUI. ESTAS ÁREAS DEBEN ESTAR ESPECIALMENTE CUIDADAS PARA LOGRAR EL BIENESTAR DE TODAS LAS PERSONAS QUE HABITAN LA CASA.

cosas que aprenderemos...

La cocina

La cocina es el espacio generador de energía específico de la casa. Está relacionada con la salud, la familia y la riqueza personal. Ya se utilice para cocinar diariamente o bien se coma fuera de casa, su ubicación, limpieza y características globales afectarán de manera positiva o negativa a la vida todos los habitantes de la casa.

La teoría de los cinco elementos

La teoría de los cinco elementos es la base de gran parte de las prácticas orientales.
Los cinco elementos representan cinco estados diferentes del Chi (energía vital, universal). El equilibrio de estos estados determinará un Chi circundante saludable.

Los alimentos

El objetivo es combinar los ingredientes de manera que se logre una dieta más equilibrada.

❱ La **teoría** de los cinco elementos

Para la explicación y el entendimiento de estos cinco estados de la energía se emplean los cinco elementos simbólicos de la naturaleza de los que hemos hablado en capítulos anteriores. Éstos, recordemos, son el fuego, la tierra, el metal, el agua y la madera.

Cada uno de estos elementos tiene una infinidad de asociaciones. Por ejemplo, el fuego se asocia con el calor, con el corazón o con las emociones; pero también con la impaciencia y la agresividad.

Por otra parte, los cinco elementos son partícipes de diferentes ciclos (de alimentación o creación; de control o destrucción y de debilitamiento) durante los cuales cada uno de ellos se transforma o se modifica generando distintos estados del Chi o energía vital. Lo importante es que los cinco elementos estén en mutuo equilibrio. Por ejemplo, el fuego es utilizado para cocinar, para dar calor; pero un exceso de este elemento podría provocar un gran desastre (incendios); el agua es para el Feng Shui fuente de vida y movimiento; sin embargo, en exceso podría producir inundaciones, y en su defecto traería sequías. Estas asociaciones permiten al Feng Shui interpretar los acontecimientos que se desarrollan en un lugar determinado según la presencia o ausencia de estos elementos.

La teoría de los cinco elementos es susceptible de ser aplicada a todo nuestro entorno y nuestras actividades.

❱ Los **cinco** elementos en la cocina

La teoría de los cinco elementos aplicada a la cocina recomienda adoptar dos medidas. La primera supone mantener el equilibrio entre el fuego y el agua, de manera que el antagonismo no produzca desequilibrios peligrosos (accidentes) en quien cocina. La segunda sugiere incorporar los cinco elementos en cada comida. La madera está relacionada con los sabores agrios; el fuego, con los amargos; la tierra, con los dulces; el metal, con los picantes y el agua, con los salados.

[66] Los **alimentos**

Las verduras son alimentos con gran cantidad de energía Chi.

EL OBJETIVO DEL FENG SHUI ES LOGRAR UN EQUILIBRIO FAVORABLE DE LAS ENERGÍAS YIN Y YANG EN TODOS LOS ASPECTOS Y SITUACIONES. EN ESTE CASO, TAMBIÉN CONSIDERA DE SUMA IMPORTANCIA LOGRARLO EN LA COMIDA QUE CONSUMIMOS A DIARIO. COMO PARTE DEL UNIVERSO, CADA ALIMENTO ES ENERGÍA Y TIENE UNA ENERGÍA DETERMINADA.

Según la forma, la textura, el color y el cultivo de un alimento, éste puede ser Yin o Yang.

A rasgos generales, los alimentos Yang son los que producen calor, están más salados y contienen grandes cantidades de grasas y proteínas, como las carnes, los huevos y el pescado. Por su parte, los alimentos Yin son aquellos que contienen más líquidos, son más dulces y más refrescantes, como las frutas. Los alimentos con más cantidad de energía Chi son los llamados vivos, es decir,

las verduras, las frutas, los cereales integrales y las semillas. Estos alimentos conservan un buen Chi, otorgándole al organismo equilibrio y bienestar. Son alimentos recomendados para cualquier tipo de dieta, porque mejoran la digestión y la salud en general. Los alimentos que consumimos deben ser lo más naturales posibles, como los alimentos integrales y los que no llevan ningún tipo de aditivo. No se aconseja el consumo excesivo de alimentos enlatados o en conserva.

▶ Alimentos **procesados**

Los alimentos procesados sufren una considerable pérdida de Chi vital, por eso se llaman alimentos muertos. Los animales que no se crían en espacios abiertos y que sufren malos tratos conservan en su carne parte del Chi negativo ocasionado por el maltrato. Teniendo en cuenta estas consideraciones, se recomienda siempre ingerir la mayor cantidad de alimentos biológicos que esté a nuestra disposición. Los animales que hayan sido criados en

espacios abiertos y que no hayan sufrido malos tratos mantendrán la buena energía del ambiente que les rodeaba.

TENGA EN CUENTA QUE...

▶ Al cocinar los alimentos alteramos su energía Chi original. Por ejemplo, cuando los alimentos se cortan o se licuan, aumentamos su energía Yin. En cambio, cuando los cocinamos, estamos intensificando su energía Yang.

▶ El **fuego**

No hay otro lugar de la casa en el cual convivan tan directamente y cotidianamente el fuego y el agua. Ambos son opuestos en el ciclo de los cinco elementos. Por tanto, hay que saber equilibrarlos de manera que ejerzan fuerzas positivas sobre nuestros alimentos y nuestro entorno. Se recomienda, por ejemplo, tener alejado el fregadero de los fogones. Si esto no fuese posible, se debería colocar un objeto de madera en el medio de ambos, porque este elemento es armonizador entre el fuego y el agua.

▶ Los **excesos**

El Feng Shui apuesta por el equilibrio de las energías del entorno y de la persona. A través de los alimentos se intenta encontrar también el equilibrio con el objetivo de dotarnos de un buen estado de salud. De esta manera, nuestro cuerpo poseerá las energías más saludables para afrontar con armonía el día a día. Según el tipo y las necesidades de cada uno, la meta es encontrar moderación y armonía en la alimentación, sin caer en excesos de algún tipo de alimento. Por ejemplo, un exceso de alimentos Yin puede llevar a una persona a un estado de depresión aparente. Además, contribuyen a la mala circulación y a la retención de líquidos. Un exceso de alimentos Yang puede tornar a una persona agresiva y provocar dolores de cabeza o insomnio, entre otros malestares. Se trata de encontrar el equilibrio de las energías. Considerando que ningún exceso es bueno, hay que combinar los alimentos de una forma equilibrada para lograr un estado más saludable y armonioso del cuerpo y de la mente.

La **ubicación** de la cocina

La colocación de la cocina en una vivienda es muy importante porque afecta directamente a la salud y al bienestar de las personas que en ella habitan.

No se debe colocar la cocina en el centro mismo de la casa ni encima de fosas o desagües.

Tampoco se recomienda que estén ubicadas cerca del cuarto de baño, este hecho influye en la fuerza con la que la energía recorrerá nuestro hogar.

Al desarrollarse en la cocina actividades diarias como cortar, picar, freír y demás tareas culinarias, esta estancia no debe estar ubicada en el centro energético de la casa, porque absorbería toda su fuerza.

La cocina no debe verse desde la puerta principal de la casa, porque esta distribución perjudica el Chi de los ambientes. En este caso, se aconseja tener la puerta de la cocina cerrada.

La ubicación más recomendada para la cocina es el lado oeste de una vivienda.

El **cocinero**

El cocinero debe estar y sentirse protegido dentro de la cocina. No debería sobresaltarse por ninguna circunstancia mientras está cocinando. Lo que se recomienda es ubicar la cocina de tal manera que el cocinero nunca quede de espaldas a la puerta de entrada. De esta manera, se evitarán sobresaltos que puedan afectar al Chi de los alimentos. Si esto sucediera podrían producirse accidentes, problemas de salud y disminución de las riquezas. El hecho de poder ver quién entra en la cocina da seguridad y sensación de protección.

Los **horarios**

Para que nuestro aparato digestivo funcione mejor hay que tener siempre presentes los horarios y el tiempo empleado para comer. Cuando nos sentamos a la mesa lo ideal sería disponer de tiempo para saborear los alimentos y no comer a toda velocidad. También hay que distribuir correctamente la comida a lo largo del día; de esta forma, no llegaremos con excesivo apetito a las comidas y nos contendremos mejor.

Los **platos**

A la hora de presentar la comida, el Feng Shui recomienda combinar colores y formas que sean atractivos al sentido de la vista.

No olvidemos mezclar los sabores y alimentos de manera que estén presentes tanto alimentos Yin como Yang, y mantener una buena relación entre el ciclo de los cinco elementos.

La variedad de colores y una presentación creativa ayudan a que uno coma con satisfacción.

TENGA EN CUENTA QUE...

▶ Colocar una esfera de cristal o un móvil es útil para proteger al cocinero. El móvil se debe colgar del techo sobre el lugar donde se cocina. Este tipo de soluciones aumenta la protección y fortalece la capacidad de expansión e iluminación.

◗ Una **cocina** limpia

Acumular suciedad en la cocina puede ser muy peligroso. La suciedad es energía negativa y al estar presente en los espacios donde se cocina, puede penetrar en los alimentos. Las cocinas se deben mantener libres de energía Yin y ordenadas. Es muy importante para todas las escuelas del Feng Shui que los espacios, rincones y utensilios se mantengan limpios y libres de energía negativa. Una cocina sucia estanca el flujo de la energía y, por consiguiente, obstaculiza el buen funcionamiento de los negocios y el mantenimiento del dinero, y perjudica la salud. Incluso hay que mantener limpias las zonas detrás de la cocina y la nevera. Limpiar con regularidad y mantener los ambientes aireados es una práctica muy poderosa para el Feng Shui. Otros elementos que pueden afectar al Chi de los alimentos que consumimos son los productos de limpieza. Por esta razón, no se recomienda guardarlos en la cocina.

▶ Una **mesa** para comer

Instalar una mesa en la cocina puede servir para hacer una separación entre los electrodomésticos y la cocina propiamente dicha; de esta forma, se disminuye el antagonismo entre fuego y agua.

El Feng Shui considera importante saber armonizar y equilibrar los elementos fuego y agua para que tengan efectos positivos en el Chi que fluye dentro de la cocina.

▶ Sin **desperfectos**

Todos los utensilios utilizados en una cocina deben estar en perfecto estado, tanto los fogones, como las luces, los electrodomésticos, los interruptores... En caso contrario, se deben reparar lo más pronto posible. Se considera que cualquier desperfecto obstaculizará la entrada de dinero en la casa.

▶ Las **plantas**

Un buen elemento para tener en la cocina son las plantas. Colocar plantas saludables es una forma de intensificar el Chi positivo, la riqueza y la salud. La cocina tiene que ser un espacio alegre, dinámico, vital y repleto de energía Yang. Las plantas aportan la energía de la tierra y la naturaleza, siempre renovadora y asociada al crecimiento y al desarrollo.

▶ Los **grifos** y desagües

Es importante retener la energía personal y la de los ambientes. Para esto, se deben mantener los grifos en buen estado y sin pérdidas. Se aconseja tapar los desagües cuando no se utilizan, como los fregaderos, las rejillas...

La pérdida de agua está relacionada con la pérdida de dinero, y los desagües al descubierto son símbolo del escape de las riquezas.

67

El **comedor** y los colores

EL COMEDOR ES UN ESPACIO DONDE LA FAMILIA SE REÚNE. PUEDE ESTAR INTEGRADO O NO EN LA COCINA O EL SALÓN. DEBE MANTENERSE LIMPIO Y ORDENADO, Y DE NINGUNA MANERA SE DEBEN ACUMULAR OBJETOS SOBRE LA MESA, EXCEPTO FLORES FRESCAS Y VELAS. ÉSTOS SON MUY BUENOS ELEMENTOS PARA DECORAR YA QUE ACTÚAN COMO FOCOS DE ATRACCIÓN DE ENERGÍA YANG.

El comedor es considerado tradicionalmente como el corazón de la casa.

El comedor debe ser un espacio cómodo, luminoso, libre de obstáculos y aireado. Es un lugar donde se junta la familia y donde se manifiesta la abundancia a través de los alimentos. Generalmente, es considerado el corazón de la casa, de los afectos, de las relaciones y de la comunicación. Es muy importante el buen flujo de energía Yang en este espacio. Es beneficioso para la energía de la cocina

y la del comedor colocar símbolos de la abundancia. Se recomienda colgar imágenes que reproduzcan cosechas, frutas recién recolectadas, campos de maíz o de arroz, etc. Colocar cuadros de este tipo sugiere que a la familia que comparte sus comidas en esa estancia nunca le faltarán alimentos y buena fortuna. Otro símbolo de la abundancia son los fruteros con frutas frescas, que repondremos a medida que se consuman.

▶ El **color**

El color siempre es una buena manera de generar Chi positivo. Se elegirá en función de las atmósferas que se quieran crear. Si lo que se busca es tranquilidad, se aconsejan colores fríos, como los azules y su gama. Pero si de lo contrario se desea generar un ambiente alegre, los tonos tierra, como los amarillos, los ocres o los beis, son los más recomendados. Estos tonos van muy bien para las cocinas y comedores, porque propician una atmósfera acogedora y reconfortante, y estimulan el placer de cocinar.

En los comedores no se recomienda abusar de los tonos demasiado brillantes porque no permiten la relajación y el disfrute. Los colores muy oscuros achican los espacios y pueden ser sinónimo de tristeza y decaimiento, por ello, se aconsejan tonos claros y suaves. Igualmente es importante la elección del color de la vajilla. Por ejemplo, el verde es símbolo de amistad y crea un lazo de unión entre los comensales; el rojo, por su parte, tiene la cualidad de abrirnos el apetito.

El **Feng Shui** en la cocina

La cocina es un lugar fundamental para el Feng Shui, pues en ella los alimentos sufren un proceso que transforma las energías que éstos nos transmiten. Conseguir una cocina según los preceptos de esta ciencia puede estar al alcance de nuestras manos.

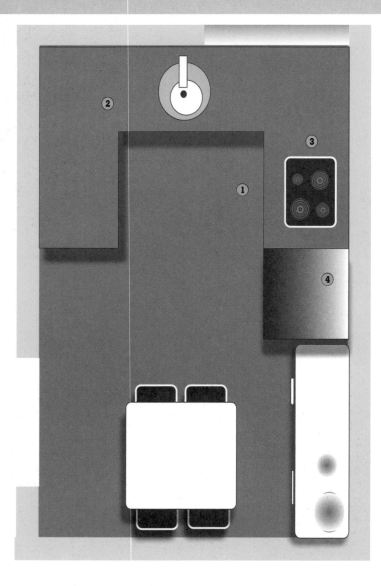

▶ Cocina inadecuada

Una mala disposición de los elementos en la cocina puede tener efectos negativos sobre nuestro Chi. Por ello, el Feng Shui ha ideado una distribución correcta que, entre otras normas, prohíbe que demos la espalda a la puerta de entrada, separa las fuentes de frío y calor, y nos recomienda colores suaves para decorar este lugar.

1 DE ESPALDAS A LA PUERTA
Cocinar de espaldas a la puerta podría hacer que sufriéramos sobresaltos; una fuente de energía negativa que se transmitiría a los alimentos.

2 LOS COLORES VIVOS
El color muy vivo en los muebles puede crearnos una inquietud que no nos permita cocinar correctamente.

3 EL ELEMENTO MADERA
La falta de plantas en la cocina conlleva la ausencia del elemento madera, lo que provoca un desequilibrio.

4 ELECTRODOMÉSTICOS
El frigorífico, una fuente de frío, no debe estar junto a los fogones, fuente de calor.

Cuando cocinamos un alimento estamos alterando las energías que contiene.

Crear un ambiente agradable en la cocina depende, sobre todo, de mantenerla perfectamente ordenada.

Los alimentos al ser troceados aumentan su energía Yin.

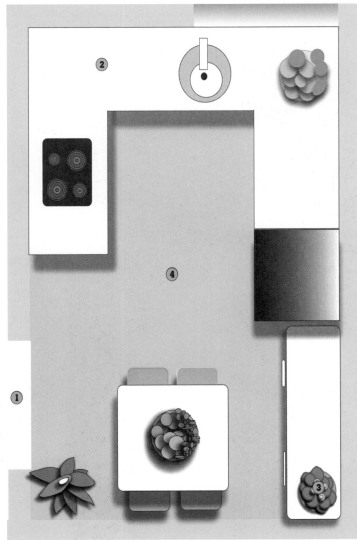

▶ Cocina adecuada

Una cocina diseñada según los principios del Feng Shui tendrá un mobiliario en tonos claros, estará bien ventilada y ofrecerá una imagen de limpieza.

(1) UNA PUERTA VISIBLE
Ver la entrada cuando cocinamos evitará posibles sobresaltos.

(2) COLORES CREMA
Los muebles de color crema transmiten la tranquilidad necesaria para cocinar.

(3) PLANTAS
Las plantas en la cocina intensifican el Chi positivo, la riqueza y la salud. Además, ayudan a equilibrar la energía.

(4) SENSACIÓN DE LIMPIEZA
Los tonos claros en los muebles de la cocina dan una agradable sensación de limpieza.

CAPÍTULO 16

El **espacio** de trabajo

EL ESPACIO DE TRABAJO PUEDE SER UNA OFICINA, UN NEGOCIO, UNA FÁBRICA O ESTAR UBICADO EN NUESTRO HOGAR. ES UN ESPACIO EN DONDE SE PASAN MUCHAS HORAS DEL DÍA. DE AHÍ LA IMPORTANCIA DE CREAR UN AMBIENTE QUE FAVOREZCA LA CREATIVIDAD, EL DINERO Y QUE FACILITE LAS RELACIONES CON COMPAÑEROS, JEFES, PROVEEDORES O CLIENTES.

cosas que aprenderemos...

Activar el Chi

Siguiendo las premisas del Feng Shui, lo que adquiere suma importancia a la hora de activar el Chi del espacio de trabajo es la puerta de entrada, la ubicación del mobiliario en general y la del escritorio en particular. El Chi de los negocios necesita estar siempre activado, despierto y en movimiento para la exitosa concreción de los proyectos, la atracción del dinero y el éxito.

La entrada

Que la entrada a nuestro lugar de trabajo esté libre, despejada, limpia y organizada es la máxima del Feng Shui en este aspecto. En lo posible, debe ser atractiva, que llame la atención, es decir, que invite a entrar. Por aquí entra la energía y con ella los clientes, las oportunidades y el dinero. Es bueno colocar plantas en la entrada para crear energía activa, atractiva y sanadora. También se recomienda agua en movimiento, como fuentes o cascadas, para estimular la producción y la circulación del dinero. Los móviles sonoros activan el Chi, el dinero y a las personas. Si hay una recepcionista, ésta debe tener una buena visión de la entrada, pero de ninguna manera su escritorio debe estar colocado directamente enfrente de la puerta.

El **logotipo**

Todas las empresas tienen un logotipo que las identifica y las diferencia. Este hecho, más allá de tratarse de un proceso empresarial legal, encierra una considerable relevancia espiritual porque su elección va a influir en el funcionamiento de nuestro negocio.

En la sociedad actual es muy fácil reconocer empresas o marcas con sólo identificar sus logotipos, pues éstos las representan.

Por esta razón, no sólo son importantes para la publicidad y el marketing, sino que también los son según las premisas del Feng Shui.

Se recomienda que esté ubicado en la puerta principal o en la entrada, y en una posición alta para que actúe como un gran elemento protector y propiciar, de esta manera, oportunidades de progreso y éxito. Desde el punto de vista del Feng Shui, lo ideal es que los colores que se utilicen para el diseño del logotipo estén relacionados con el tipo de negocio y su vinculación con los cinco elementos clásicos (agua, fuego, tierra, metal y madera).

Por ejemplo, los lugares donde se trabaja con muchos ordenadores, los restaurantes o los negocios de venta están relacionados con el elemento fuego. En este caso, el color más indicado para diseñar un logotipo sería la gama de los rojos, que son combinables con los verdes, que representan la madera y potencian el elemento fuego.

Hay que tener cuidado, en este sentido, con combinar dos colores que puedan entrar en conflicto.

La **iluminación**

Como todo lo artificial, la luz debe utilizarse en equilibrio. Debe evitarse, en lo posible, la utilización de luz fluorescente.

Aunque es más económica, crea un ambiente frío. La luz brillante genera Chi positivo y optimismo en los trabajadores. Se recomiendan luces amarillas y blancas para crear flujos de energía armoniosos y de mayor calidez.

[69] Activar los **espacios**

PARA EL FENG SHUI LOS COLORES CUMPLEN UNA FUNCIÓN MUY IMPORTANTE A LA HORA DE CREAR AMBIENTES QUE SE AJUSTEN A LAS NECESIDADES Y GUSTOS DE LAS PERSONAS. SIEMPRE HAY QUE TENER EN CUENTA LAS CARACTERÍSTICAS DEL ESPACIO Y LA ACTIVIDAD QUE SE DESEMPEÑE EN CADA SITIO.

Los colores recomendados para el logro de un entorno armónico no solamente se refieren a las paredes y el mobiliario. También son importantes las tonalidades de los objetos que componen la decoración de la estancia.

Los tonos amarillos producen alegría y, al igual que los blancos o los beis, se recomiendan para lugares pequeños o con poca luz. Los verdes son adecuados para espacios con poca ventilación y, además, estimulan la creatividad. No hay que olvidar que cuando se dan las recomendaciones sobre el color, no se está hablando sólo de la pintura de las paredes, sino que también el color puede estar presente en adornos, en el mobiliario, en fotos o cuadros.

Se recomienda, siguiendo los principios de las formas, los muebles con terminaciones redondeadas. Este tipo de mobiliario favorece el libre flujo de la energía y no ejerce ningún tipo de obstáculo. El mobiliario rígido y con terminaciones en ángulos rectos corta el libre flujo, transformando el Chi en energía negativa y desfavorable. Una solución, si se tiene este tipo de muebles, es colocar plantas cercanas a los bordes y compensar, de esta manera, los efectos amenazantes de las aristas. Las esquinas afiladas también pueden estar presentes en paredes o pilares. En estos casos, también es muy importante la presencia de plantas o flores frescas cercanas a las mismas, que reduzcan los efectos de estos elementos que distorsionan la energía.

▶ El **tamaño** del mobiliario

En cuanto al tamaño de los escritorios y el mobiliario en general, se recomienda que sean proporcionales al espacio del que se dispone. Esto es muy importante para mantener el equilibrio. También lo es que sean lo suficientemente cómodos para trabajar, pero no excesivamente grandes. En el caso de ocupar mucho espacio, obstaculizarían el libre flujo de la energía.

▶ Purificar el **aire**

Después de muchas horas de estar expuestos a las radiaciones electromagnéticas que generan los aparatos electrónicos, es común que la salud se resienta. El exceso de esta exposición nos provoca dolores de cabeza, una sensación de cansancio general en todo el cuerpo, falta de atención y hasta problemas de memoria. Un elemento muy adecuado para purificar el ambiente es una lámpara de cristal de sal. Este tipo de

lámparas, fabricadas con rocas milenarias, neutraliza los iones positivos que emanan de los aparatos electrónicos. Además de ser muy relajantes, son lámparas que tienen la virtud de equilibrar y mejorar la carga energética del ambiente que nos rodea.

▶ El lugar de trabajo debe tener luz natural. Por su parte, las lámparas serán blancas o amarillas.
▶ Colocaremos plantas para que activen la energía renovadora de la naturaleza.
▶ Siempre mantendremos la oficina limpia y ordenada.

▶ El **escritorio**

El escritorio cumple una función esencial en el trabajo de muchas personas. Su correcta ubicación puede favorecer el pensamiento creativo y el buen desarrollo laboral. Lo más importante es que la espalda esté contra una pared para sentir sensación de seguridad y protección.

El escritorio no debe colocarse directamente enfrente de una ventana; porque cada vez que levantemos la vista del trabajo perderemos la atención y la concentración mirando el paisaje. Tampoco debe estar colocado directamente enfrente de la puerta, pues es por donde entra la energía y las personas. Si su escritorio está colocado de manera tal que puede ver el ir y venir de la gente en el pasillo, esto le producirá una sensación de opresión por las tareas de los demás. Lo mejor es colocarlo en ángulo con la puerta; así se verá la entrada pero no tan directamente.

Con un ligero movimiento de cabeza debemos poder ver tanto la entrada como el paisaje que se avista desde la ventana. Mantener una buena distancia entre el escritorio y la puerta intensificará nuestro sentido de la seguridad y nos proporcionará el tiempo necesario para reaccionar ante nuevas situaciones.

Tampoco se recomienda que el escritorio esté en un lugar de tránsito, como un pasillo o cercano a una fotocopiadora. Esta localización distrae a la persona que allí trabaja y genera inquietud y desarmonías. Al igual que para las casas, el Feng Shui recomienda que el despacho esté protegido por detrás por una montaña o una edificación más alta, también es bueno para nuestro cuerpo tener la espalda resguardada por una pared.

Cuando se está sentado en el escritorio no se debe dar la espalda a una puerta o a un espacio vacío, especialmente si por detrás también hay otras personas trabajando. Esto genera una sensación de inseguridad que afecta al desarrollo laboral.

▶ Espacios **amplios**

Cuando el espacio de trabajo es muy amplio y en él desempeñan sus tareas muchas personas, la energía puede fluir de una forma desorientada, entrando y saliendo sin sentido y transformarse en perjudicial. En este sentido, es importante crear ambientes en donde el Chi fluya de manera circular. Para lograrlo, se recomienda realizar divisiones utilizando mobiliario, plantas o separaciones, de manera que el Chi se reoriente en forma circular creando ambientes donde reine la armonía y el compañerismo.

Si el espacio es amplio y está amueblado formando diferentes cubículos en los cuales trabajan muchos empleados, el Feng Shui propone que los paneles del fondo y de los laterales sean bastante altos como para crear sensación de seguridad y protección.

Lo mejor, en cualquier caso, es que la espalda esté contra una pared; si esto no es posible, se recomienda colgar un cuadro de montañas.

▶ La **espalda**

Mantener la espalda de cara a una pared es la mejor disposición para trabajar. Pero hay que evitar colocar el escritorio demasiado cerca de la pared, de tal manera que no nos sea posible entrar con comodidad. Tampoco se debe colocarlo de modo que sólo se pueda acceder a él desde un lado. Se recomienda que el escritorio esté libre por ambos lados, dotándolo, así, de mayor independencia y poder.

Entrar por cualquiera de sus lados ayuda a tener más creatividad y flexibilidad en el trabajo. Esta disposición nos confiere una sensación de mayor autonomía y control sobre nuestras tareas y nuestras acciones laborales.

▶ Para **subir** las ventas

Para activar las ventas a través de la correcta distribución de la oficina, se recomienda colocar el departamento de ventas en la zona más cercana a la entrada del edificio. De esta manera, las personas encargadas de las ventas y de la captación de nuevos clientes estarán en continuo movimiento y actividad. Esta ubicación favorece la relación de los vendedores con los clientes y las nuevas oportunidades de negocio.

❱ El **ordenador**

El ordenador se debe colocar a la izquierda de la mesa o en una mesa auxiliar.

Los documentos y asuntos pendientes estarán en la parte superior derecha de la mesa, para aumentar la eficacia a la hora de encontrar soluciones.

La bandeja de salida de proyectos se situará en el lado oeste de la mesa, para que estén protegidos, al margen de las decisiones que hayamos tomado.

Si colocamos un pisapapeles de cristal en el noroeste de la mesa de trabajo estableceremos flujos de energía positiva con nuestro jefe.

❱ El despacho del **jefe**

Las decisiones, las actitudes y las acciones del jefe afectan a todas las personas relacionadas con la empresa, dentro o fuera de la misma. Por eso, para el Feng Shui, la ubicación y la disposición de este despacho es tan importante. Si está ubicado en un lugar poderoso y satisfactorio, el jefe actuará con sabiduría y equilibrio.

En consecuencia, la empresa será próspera y tendrá siempre posibilidades de desarrollo.

En cambio, si el despacho tiene un Chi débil, las acciones del jefe se verán perjudicadas y las perspectivas de la empresa se malograrán con el tiempo.

❱ La **ubicación** del jefe

La ubicación del jefe o de la persona que está a cargo de la empresa se tiene que encontrar lo más alejada posible de la puerta principal.

Su despacho tiene que ser el más grande y prestigioso. Debe mantenerse lejos de los cuartos de baño y de las puertas posteriores, en caso de que las hubiese.

Según las premisas del Feng Shui, al ubicar a la persona principal en un área de mando y gobierno, la empresa se verá favorecida.

Las acciones del jefe determinan el éxito de la empresa y, con esto, el futuro de sus empleados.

◗ La **mesa** de trabajo

Como en cualquier otro de los espacios que utilizamos a diario, el orden en la mesa de trabajo es muy importante para el Feng Shui. El escritorio debería estar lo más despejado posible. Si el trabajo que desarrollamos no nos permite tenerlo libre de papeles y archivadores, se recomienda ordenarlos a la izquierda para estimular el Chi del dragón. No hay que apilarlos ni detrás ni delante de nosotros. Detrás significa que nos sentimos abrumados por el trabajo, y delante impide que se desarrollen proyectos nuevos o que se terminen los viejos, bloqueándose las perspectivas laborales. También es bueno mantener los cajones ordenados y limpios. Una mesa de trabajo repleta de objetos entorpecerá el desarrollo laboral y creará atascos profesionales. Hay que mantener el Chi del escritorio en movimiento como el de cualquier ambiente. No permitir que se acumule suciedad, cambiar las flores muertas por nuevas y renovarles el agua a diario. En definitiva, no dejar que nada se estanque. Sobre los objetos decorativos, se recomienda tener un número prudente de éstos, de manera que no sobrepasen la superficie de la mesa. El espacio vacío en las mesas de trabajo simboliza la entrada de nuevas oportunidades.

▶ El tipo de **mobiliario**

De la misma manera que el Feng Shui no recomienda que se utilicen camas que hayan pertenecido a otras personas, lo mismo sucede con los escritorios y las sillas de trabajo. Cuando se comienzan etapas nuevas en la vida lo mejor es emprenderlas con muebles nuevos que no estén «contaminados» con Chi de otras personas. La excepción podría ser heredar un escritorio de una persona exitosa. Esta situación favorecería nuestro desarrollo laboral. Tampoco se recomienda comprar mobiliario que, aunque nuevo y moderno, resulte incómodo y poco funcional para el trabajo cotidiano, que sea demasiado pequeño o que carezca del panel frontal. En definitiva resulta negativo tanto un escritorio nuevo pero incómodo como uno viejo y usado, con energía negativa de personas y situaciones anteriores: no harán más que proyectar problemas y conflictos en nuestra cotidianidad laboral.

Si no está dentro de nuestras posibilidades comprar un escritorio nuevo, se recomienda colocar sobre él o cerca del mismo una planta nueva y fuerte para renovar las energías circundantes, crear protección y estimular la energía sanadora.

❱ La **silla** de trabajo

Para la silla de trabajo se aplica la misma relación nuevo-usado que para el escritorio. La silla es otro elemento muy importante de nuestro entorno laboral para lograr el éxito profesional. Lo que el Feng Shui prefiere siempre es un asiento nuevo, salvo que la silla que se herede, al igual que el escritorio, haya pertenecido a una persona exitosa y triunfadora. Si la silla ha pertenecido a alguien que ha sido despedido o que ha tenido una relación conflictiva con el trabajo es preferible comprar un asiento nuevo. De esta manera, se evita que los problemas viejos sigan estando presentes en nuestro futuro laboral, y que el Chi negativo de la persona anterior influya en el nuestro.

Para el Feng Shui, la altura del respaldo de la silla que ocupamos está relacionado con la superación profesional.

Para mantener las energías positivas activas, el respaldo se debe elevar por lo menos hasta el nivel de los hombros, protegiendo la espalda y proporcionando fuerza a las acciones y decisiones. La protección es mayor si el respaldo se extiende hasta la parte superior de la cabeza. En este sentido, también es muy importante, según las premisas del Feng Shui, que no haya espacio libre entre el respaldo y el asiento de la silla que ocupemos. Una silla abierta por la espalda nos deja sin apoyo y susceptibles de ser «atacados por la espalda» por la energía negativa o envidiosa de otras personas que no comparten nuestro éxito. Las sillas pequeñas y con respaldos bajos deben evitarse, porque no permitirán que su ocupante crezca ni se desarrolle laboralmente. Este tipo de sillas proporcionan una sensación de vulnerabilidad e inestabilidad en el trabajo.

❱ Atraer el **dinero**

Para atraer más dinero, el pensamiento Feng Shui ha desarrollado distintas técnicas de carácter milenario, pero perfectamente adaptables a nuestro tiempo. Por ejemplo, para aumentar los beneficios de un comercio, se recomienda colocar un espejo al lado o detrás de la caja registradora, de manera que, simbólicamente, se duplique el dinero y se atraiga la prosperidad.

Otra opción es colocar una planta para atraer la energía viva de la naturaleza a la actividad diaria de la caja.

[70] Activadores de **energía**

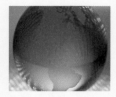

LAS ESFERAS DE CRISTAL MEJORAN LA CREATIVIDAD, ACLARAN EL PENSAMIENTO, AYUDAN EN LA TOMA DE DECISIONES Y EN LA VISIÓN DE FUTURO. SE DEBEN COLGAR DEL TECHO CON UNA CINTA ROJA, JUSTO EN LUGAR DEL ESCRITORIO DONDE NOS SENTEMOS.

Las esferas de cristal estimulan la creatividad, así como la armonía entre los compañeros de trabajo.

Las esferas de cristal también se pueden ubicar entre nosotros y la puerta de la oficina, o entre nosotros y un colega de trabajo para propiciar, de esta manera, la armonía con los compañeros y despejar de tensiones las relaciones. Son útiles, asimismo, para aliviar los efectos del trabajo bajo presión.

Estimularemos la capacidad creativa ubicando una campanilla en la parte derecha del escritorio. Se recomienda hacerla sonar cada vez que necesitemos inspiración para resolver problemas y encontrar soluciones.

Con respecto a las plantas, es recomendable que estén saludables. Para fomentar la paz y la armonía entre empleados, clientes y proveedores, se sugiere colocarlas en la entrada del edificio o de la oficina.

Si lo que se necesita es fortalecer los negocios y las oportunidades, coloque plantas verdes en el centro de la oficina.

▶ Un buen **augurio**

El agua en movimiento es un buen augurio y trae cambios, negocios y oportunidades. Se relaciona con la energía del dinero, de la riqueza y de la prosperidad. Para atraer estas energías debemos colocar una fuente o una cascada en la entrada del edificio o de la oficina. Si no tiene espacio o no le gustan las fuentes, una solución es colocar una pecera con peces de colores en los lugares indicados. En este caso, además de los beneficios del agua en movimiento, se suman los de la energía activa de los animales, que siempre son símbolo de energía renovadora

y sanadora. Si tampoco los peces son de su agrado, puede colocar imágenes de cascadas, ríos o agua en movimiento.

▶ Colgar un **móvil**

Cuelgue un móvil sonoro o uno de viento en la entrada del edificio o la oficina. Son activadores de energía y favorecen la llegada de personas diligentes y dinámicas, beneficiosas para las empresas y sus actividades.

Los móviles también funcionan como activadores del dinero, atrayendo la energía de la riqueza y las oportunidades. Se recomienda, también, colgar un móvil sonoro en el centro de la sala de conferencias, para impulsar la empresa en el mercado.

▶ El **ordenador**

En la actualidad, el ordenador se ha convertido en nuestro más fiel compañero de trabajo. Si bien este artefacto no existía cuando se crearon las premisas esenciales del Feng Shui, no debemos olvidar que como cualquier elemento de nuestro alrededor, debe permanecer limpio.

Es aconsejable que no sólo su entorno permanezca en orden, sino que también conviene tirar con regularidad los archivos que ya no utilicemos, los mensajes que ya hemos leído y, en general, todo aquello innecesario para nuestro trabajo cotidiano. Este cuidado favorecerá tanto el funcionamiento del ordenador como aclarará nuestro orden de prioridades relacionadas con el trabajo.

La ionización positiva que produce el ordenador nos provoca un mayor cansancio corporal, mental y estrés.

El trabajo prolongado frente a la pantalla produce irritación de los ojos y contracturas por las malas posturas. Incluso se puede padecer el síndrome del túnel carpiano (inflamación de la muñeca por la compresión de los nervios, lo que provoca mucho dolor).

Se recomienda tener cerca del ordenador una planta verde y fuerte para que active siempre la energía renovadora, o una lámpara de cristal de sal, que purifica el aire y neutraliza los iones positivos.

El **espacio** de trabajo

UN LUGAR PARA EL TRABAJO DEBE PROPORCIONARNOS TRANQUILIDAD Y FAVORECER LA CONCENTRACIÓN. A CONTINUACIÓN VEREMOS CÓMO CONSEGUIR UN ENTORNO ARMÓNICO.

▶ Decoración caótica

Los colores muy vivos, la ausencia de alguno de los cinco elementos, un mobiliario o una distribución equivocados impiden lograr un entorno armónico.

1. EXCESO DE COLOR
   Los colores intensos no favorecen una buena concentración en el trabajo.

2. AUSENCIA DE ELEMENTOS
   La falta de los cinco elementos provoca descompensaciones que derivan en desequilibrios energéticos.

3. MUEBLES CON ARISTAS
   Los muebles con esquinas pronunciadas dificultan la concentración.

4. PUERTA NO VISIBLE
   Si nuestra mesa no permite ver la puerta, nos llevaremos sobresaltos que tendrán sobre nosotros efectos negativos.

Una decoración carente de armonía en nuestro puesto de trabajo puede resultar perjudicial para el rendimiento laboral.

Los colores suaves y los muebles sin aristas son muy adecuados para crear un ambiente propicio para la tranquilidad y la concentración.

Un lugar de trabajo desordenado y una mesa con aristas no facilitan el buen flujo del Chi en la estancia.

▶ Decoración armónica

Si seguimos unos sencillos consejos de este arte milenario, podemos construir un espacio apropiado para el trabajo.

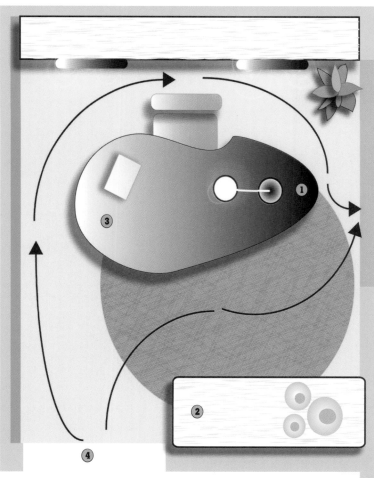

1 EL COLOR NEGRO
Es importante colocar algún objeto de color negro en nuestro espacio de trabajo.

2 PRESENCIA DE LOS ELEMENTOS
Cada uno de los cinco elementos debe estar presente en este espacio.

3 MUEBLES REDONDEADOS
El mobiliario ha de tener formas redondeadas para aportar sensación de tranquilidad.

4 LA VISIÓN DE LA PUERTA
La colocación de la mesa de trabajo debe permitirnos ver la puerta; esto nos evitará llevarnos sobresaltos.

CAPÍTULO 17

El **Feng Shui** y la salud

PARA EL FENG SHUI, LA SALUD NO SE ENTIENDE COMO LA AUSENCIA DE ENFERMEDADES, SINO COMO LA ARMONÍA Y EL EQUILIBRIO ENTRE LAS ENERGÍAS INTERNAS DE UNA PERSONA Y LAS ENERGÍAS EXTERNAS DE SU ENTORNO.

cosas que aprenderemos...

Vivir en armonía

La meta final de cualquier escuela de Feng Shui que utilicemos es crear las condiciones propicias para que el ser humano viva en armonía con la naturaleza y consigo mismo. En este sentido, es tan importante hablar de la salud de los espacios que habitamos, como de la salud de nuestro cuerpo, mente y espíritu. No olvidemos que, para esta filosofía de vida, todo lo que se constituye como nuestro entorno nos influye, y nosotros influimos en él.

El hogar como fuente de salud

Si consideramos la salud como un estado de armonía y bienestar entre el cuerpo, la mente y el espíritu, debemos comprender el papel importante que cumple el entorno en nuestro bienestar.

El tipo de vivienda, los materiales con los que fue construida, la disposición de las habitaciones y del mobiliario; la iluminación, los sonidos y los colores que la componen determinan los distintos estados de energía que en ella circulan y el estado saludable o no de éstos.

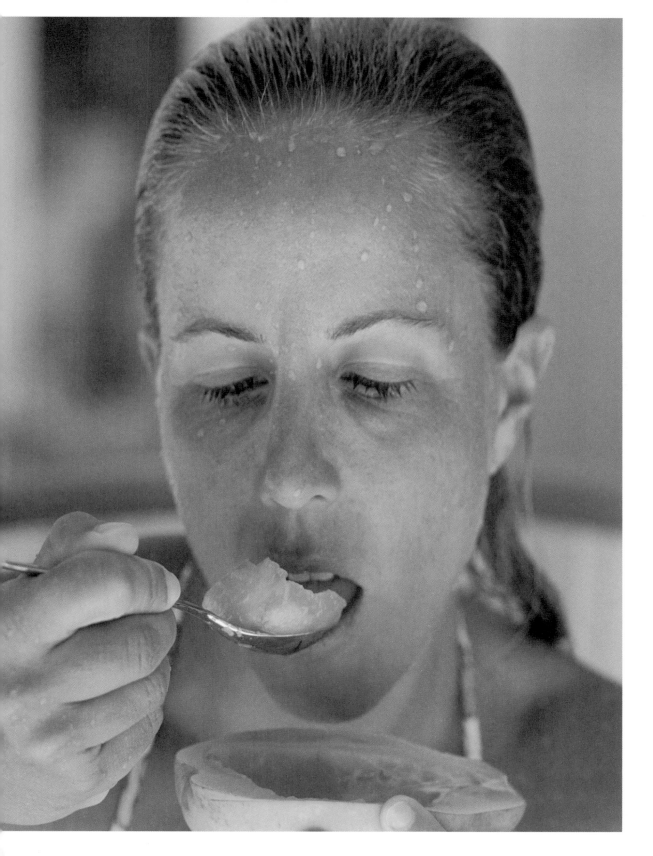

[72] La **circulación** del Chi

UNO DE LOS PRINCIPIOS DEL FENG SHUI SE BASA EN LA CIRCULACIÓN DEL CHI, QUE ES LA ENERGÍA UNIVERSAL QUE TODO LO HABITA. CUANDO ESTA ENERGÍA FLUYE CON DESORDEN, DESEQUILIBRANDO LOS AMBIENTES Y LAS PERSONAS, SE PRODUCEN ENFERMEDADES Y MALESTARES.

Los colores intensos transmiten sensaciones de tensión e inquietud.

La energía bloqueada desfavorece nuestro crecimiento personal, la consecución de nuestros objetivos, la riqueza, las relaciones con los demás y nuestro bienestar general.

Si la energía Chi fluye de forma desequilibrada por nuestra casa, estaremos más propensos a sentir cansancio, a sufrir insomnio, a desconcentrarnos fácilmente y a estar más irritables en general. Comúnmente, se cree que estos trastornos son parte de un proceso personal, y no se tiene en consideración si el entorno que habitamos cotidianamente puede estar provocándonos alguno de estos estados.

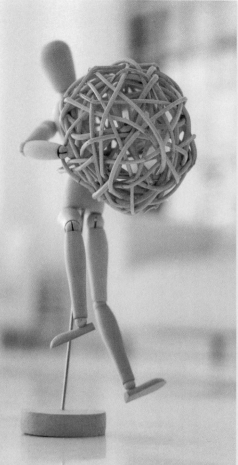

▶ Pensar en la **energía**

Una forma práctica de pensar en la energía es imaginándola como una corriente en movimiento que recorre toda nuestra casa, estancándose en el desorden y en la suciedad, angostándose en los rincones y pasillos, o expandiéndose en la sala y los dormitorios.

Si fluye apacible y con ritmo enriquece todos nuestros espacios y con ello se enriquece nuestro espíritu.

Si, por diferentes motivos, avanza rápido por los espacios sin permanecer, arrasa con todo sin abonar nuestro entorno y así como entra, sale, desfavorecerá las energías del ambiente y, por ende, las nuestras.

En este sentido, para el Feng Shui es importante la correcta distribución de los objetos y del mobiliario, así como tener la precaución de evitar colocar elementos que puedan ser inarmónicos y transmitir energías desequilibrantes.

▶ Una **cuestión** personal

Nuestro bienestar depende en gran medida de la forma en que utilicemos nuestro entorno, de las acciones que emprendamos y del tipo de objeto que elijamos tener.

Las propuestas del Feng Shui buscan el equilibrio entre el hombre y la naturaleza. Para alcanzarlo, no hay que olvidar el sentido común ni los gustos particulares de cada persona. Sobre todas las cosas es importante la actitud que tomamos día a día. Muchas de estas actitudes pueden ser perjudiciales para nosotros mismos, aunque hayan sido una decisión personal.

RECUERDE QUE...

▶ La meta de todas las escuelas de Feng Shui es habilitar nuestro espacio para que vivamos en armonía con la naturaleza y nosotros mismos.
▶ La energía bloqueada impide el crecimiento personal.

▶ Debilitamiento **energético**

Cuando una vivienda no tiene energía saludable, es probable que sus habitantes sufran alteraciones del sueño, tengan dificultades para levantarse por la mañana o padezcan una mayor sensación de cansancio después de las horas de descanso. Otras manifestaciones comunes son las reacciones alérgicas, el agotamiento crónico y los dolores de cabeza y espalda. La posición de la cama es fundamental para equilibrar las energías del descanso. El equilibrio de un ambiente se logra mediante la correcta distribución de objetos y muebles, la simetría, las proporciones adecuadas, la iluminación y los colores que prevalecen.

▶ Un **ambiente** saludable

Si el objetivo es mantener los ambientes que utilizamos a diario saludables, no debemos olvidar algunas premisas fundamentales que nos proporciona el Feng Shui.

Airearemos las habitaciones cada día. Con ello, además de ventilar la estancia, permitiremos que entre el sol y bañe de luz natural los objetos y los muebles. Gracias a esta acción nos llenaremos de la necesaria energía Yang.

No tendremos mobiliario que pueda obstaculizar el flujo de la energía. Por el contrario, lo situaremos en la posición adecuada dentro del hogar.

Para ubicar el televisor, los ordenadores, el microondas, y demás artefactos electrónicos, tendremos en cuenta que emiten campos electromagnéticos nocivos para la salud del ser humano.

Además, mantendremos la cocina limpia y ordenada, sin olvidar que es el lugar donde preparamos los alimentos.

Es muy importante mantener el equilibrio energético en este espacio y que todos los artefactos funcionen correctamente.

Las plantas deben estar sanas y fuertes, ya que son símbolo de energía renovadora y creciente. Sus hojas oxigenan el aire, proporcionándonos la energía sanadora de la naturaleza. Cuando llueve es bueno dejar las ventanas abiertas para permitir la ionización del aire. Finalmente, es importante mantener una actitud positiva ante la vida para que nuestras buenas energías invadan el entorno. Un ambiente equilibrado es aquel en el cual nos sentimos bien, en armonía.

▶ El **desarrollo** personal

Se puede potenciar el desarrollo personal y la consecución de los objetivos teniendo en cuenta que muchos objetos pueden estar actuando como freno a nuestro crecimiento.

Nuestro desarrollo personal y profesional se verá favorecido si sustituimos algunos elementos decorativos, que estén estancando nuestras fuerzas y energías, por otros que potencien la armonía.

Un modo de hacerlo es, por ejemplo, desechar los objetos del pasado.

[73] La **salud** en el hogar

Las plantas transmiten energía positiva a las estancias de la casa.

NO ES NECESARIO SER UN PRACTICANTE DE FENG SHUI PARA AFIRMAR QUE LA SALUD ES EL CENTRO DE NUESTRA VIDA. LA PERSONA QUE LLEVE UNA VIDA SALUDABLE ESTARÁ EN POSESIÓN DE UN TESORO QUE LE PERMITIRÁ DESARROLLARSE EN TODOS LOS ASPECTOS DE LA VIDA. POR MUCHO DINERO QUE SE TENGA, SI LA PERSONA NO SE ENCUENTRA SANA FÍSICA Y MENTALMENTE, NO PODRÁ APRECIAR Y DISFRUTAR LAS PEQUEÑAS GRANDES COSAS DE LA VIDA.

Las distintas escuelas Feng Shui, sitúan la salud en el centro mismo de la casa, oficina o dormitorio. Se trata de la llamada zona de energía Tai Chi. Activar esta energía fortalecerá nuestra salud física y mental. El centro de la casa está asociado con el elemento tierra. Colocar objetos que lo representen fortalece la salud y la prosperidad de todos los miembros de la familia. Se pueden colocar objetos de cerámica, piedras, cristales, macetas, esculturas o bien pintar las paredes con colores tierra, como el amarillo, el anaranjado, el beis, el marrón o el tostado. Si se prefiere, también se recomienda colgar pinturas de paisajes donde predominen dichos tonos.

Una actividad de suma importancia aconsejada por el Feng Shui es la limpieza. Al limpiar profundamente, revitalizamos el espacio, que se purifica al reavivar las energías.

▶ La **limpieza**

La limpieza renueva el Chi, dejando lugar a nuevas posibilidades y favoreciendo la salud y la vitalidad.

▶ La **energía** positiva de las plantas

Si colocamos plantas a nuestro alrededor mantendremos la energía viva en el ambiente. Al contrario de lo que algunos sostienen, las plantas en el dormitorio son recomendadas por ciertas escuelas de Feng Shui.

Las plantas verdes iluminan la atmósfera, agregan color y oxigenan el aire. Además, activan la energía, vigorizan nuestro cuerpo y nos alegran el espíritu, siempre que las cuidemos y las mimemos; nunca debemos conservar las plantas que se hayan marchitado.

▶ Los **espacios**
sobre la cama

Una cuestión que hay que tener en cuenta es el espacio que se encuentra sobre la cama, sobre todo si se trata de una buhardilla o si hay vigas al aire. Los techos inclinados pueden ejercer una energía opresiva en los ambientes, afectando negativamente a la energía personal y, por lo tanto, a la salud. Se recomienda en estos casos colgar del techo una esfera de cristal tallado o una campana de bronce. Estos elementos sirven para dispersar la energía opresiva que se dirige hacia abajo y funcionan como activadores del Chi.

Las vigas sobre la cama nunca son recomendadas, porque afectan de forma negativa a la salud física y mental. Si la viga corre a lo largo de la cama, produce trastornos en la zona central del cuerpo. Si divide la cama de matrimonio en dos puede producir problemas en la pareja; en el cabecero de la cama producirá dolores de cabeza y de cuello; y si atraviesa la cama por la mitad transversalmente, puede originar trastornos digestivos y abdominales. Para corregir rápidamente esta situación, se puede colgar una esfera de cristal o una campana en cada extremo de la viga, dispersando, así, la energía negativa y restableciendo el flujo de energía sanadora.

De igual manera, las vigas que se ubican sobre la mesa del comedor o del escritorio producen efectos negativos en la salud, en la concentración, en las relaciones y en el trabajo.

Activar las **energías**

El color rojo activa las energías e incrementa la vitalidad.

LOS COLORES SON, PARA EL FENG SHUI, UNA HERRAMIENTA MUY UTILIZADA A LA HORA DE PROPORCIONAR SOLUCIONES. CADA UNO DE LOS CINCO ELEMENTOS SE RELACIONA CON UN COLOR O CON UNA GAMA QUE LO CARACTERIZA Y LO POTENCIA. EL BUEN USO DE LOS COLORES ES IMPORTANTE TANTO A LA HORA DE DECORAR LA CASA COMO EN LA ROPA QUE VESTIMOS.

El color puede activar energías vivas, alegres y creativas o, por el contrario, sumirnos en un estado de tristeza y depresión. A la hora de activar las energías saludables en nuestro entorno, los colores más recomendados son el rojo, el verde y el amarillo.

El rojo es un buen color para fortalecer y activar las energías sanadoras de las personas. En exceso, potencia energías agresivas y violentas pero, en su justa medida, favorece el buen funcionamiento del corazón, potencia el amor y un estado de salud fuerte y vigoroso.

El verde se relaciona con la naturaleza, las energías nuevas, las oportunidades, el crecimiento, la salud y la buena fortuna. Por este motivo, es aconsejable pintar las paredes de este color, o bien tener plantas u objetos y mobiliario de color verde.

El amarillo se relaciona directamente con la energía sanadora, es la fuerza del sol. Supone vitalidad y fortaleza, energía nueva todas las mañanas, luz y claridad.

Podemos vestir estos colores o utilizarlos en nuestras casas a través de la pintura o de objetos de dichos colores, siempre y cuando estén en armonía con el gusto personal de cada uno. Todos estos colores y sus gamas contribuyen a un mejor estado de la salud física, mental y espiritual.

▶ Los **cinco** elementos

Según la antigua medicina china, los problemas de la salud humana derivan de un desequilibrio en las cantidades de energía relativas a cada uno de los cinco elementos, que también están presentes en nuestro cuerpo.

Cada uno de los cinco elementos (madera, fuego, tierra, metal y agua) es una fase distinta de la energía Chi. El equilibrio de estas fases fortalece la salud del cuerpo y del espíritu, y su utilización en el entorno que habitamos contribuye a la armonía y a la paz.

Los cinco elementos pueden estar representados por objetos, colores o alimentos.

Para mejorar la salud de toda la familia y equilibrar el cuerpo, se pueden colocar cinco objetos que representen los elementos en el lugar donde se suelan reunir los miembros de la familia, como puede ser el comedor.

El fuego puede estar representado por una vela; la madera, por plantas y flores; el metal, por un adorno; el agua, por una fuente, una pecera, un acuario o un jarrón con flores; y la tierra, por una pieza de barro o arcilla. Lo que debe primar siempre, ante todo, es el buen gusto.

▶ Los **campos** electromagnéticos

Mantener una casa y un ambiente saludables también implica tener cuidado con la contaminación que producen los artefactos electrónicos, que enrarecen el aire que respiramos y generan campos electromagnéticos.

El dormitorio es para el Feng Shui un espacio esencial para el descanso, la salud y el bienestar general. No se recomienda tener cerca de la cama despertadores electrónicos, radios, aparatos de música ni interruptores de luz con dímer; todos ellos afectan de manera silenciosa a la salud. El campo electromagnético que emiten debilita la vitalidad disminuyendo la resistencia a las enfermedades. Se recomienda colocar estos objetos a una distancia de 60-90 centímetros del cuerpo para evitar que afecten de manera negativa a nuestra salud.

La energía humana se ve seriamente perturbada por los campos electromagnéticos. Éstos producen pérdida de la energía física, cansancio y confusión mental. Para minimizar los efectos de estos campos se recomienda desconectar toda fuente eléctrica durante la noche, cambiar las luces de neón o fluorescentes por luces incandescentes; asegurarse de que el sistema eléctrico tenga una buena descarga a tierra y colocar un protector de pantalla en el monitor del ordenador.

La reducción de estos campos mejorará notablemente nuestra salud, nuestras energías y reducirá la cantidad de estrés que absorbemos a través de ellos.

▶ La **energía** saludable

Si lo que se necesita es activar la energía saludable de una persona enferma, se aconseja colocar en su dormitorio un objeto relacionado con los cinco elementos o sus colores representativos. Se pueden colocar objetos de colores, o incluso un dibujo que los contenga, y el resultado será una salud más fuerte y un equilibrio del cuerpo.

Cada elemento se relaciona con un color: la madera, por ejemplo, se representa a través de la gama de los verdes; el fuego, a través de los rojos; la tierra, con el amarillo, el naranja o el marrón; el metal, con el blanco; y, finalmente, el agua, con el negro o el azul.

▶ Conviene bajar las cantidades de sal en las comidas, reducir el consumo de alimentos ricos en proteínas de origen animal, así como los alimentos ricos en grasas saturadas. También sustituiremos los hidratos de carbono refinados por carbohidratos complejos.

[75] Las **energías** saludables

Una relación armónica entre el cuerpo y la mente colmará de tranquilidad nuestro espíritu.

EL CUERPO ESTARÁ AGRADECIDO SI REALIZA UNA ACTIVIDAD FÍSICA O UN DEPORTE. PARA MANTENER LAS ENERGÍAS ACTIVAS Y EN SU SITIO, LIBERANDO AQUELLAS QUE NOS SON DAÑINAS, SE RECOMIENDA REALIZAR DIARIAMENTE ALGUNA ACTIVIDAD FÍSICA DE NUESTRO AGRADO. ES NECESARIO EVITAR EL SEDENTARISMO PARA MANTENER EL CUERPO Y EL ESPÍRITU SALUDABLES.

Caminar una hora al día, ir al gimnasio o practicar un deporte pueden ser una vía de liberación de la agresividad y de los sentimientos negativos que nos obstaculizan, siempre y cuando la actividad sea de nuestro agrado y nos permita disfrutar mientras la realizamos. No se trata de hacer un ejercicio por obligación que nos suponga gran esfuerzo y sufrimiento.

El contacto con la tierra, el aire y el agua es bueno para nuestro cuerpo y nuestras energías. Aunque el día a día esté repleto de responsabilidades, es bueno darse un tiempo para caminar por zonas verdes y arboladas,

dejar que los pies entren en contacto con la tierra y descarguen la energía que nos sobra. Conviene respirar el aire puro y sanador de la naturaleza, caminar por la playa y dejar que el agua humedezca nuestro cuerpo mientras los sonidos del mar penetran en nuestros oídos.

Llenarnos de energía con la luz y el calor del sol, en su justa medida, es saludable para la piel, los huesos y produce en nuestro cuerpo vitamina D, necesaria para la correcta absorción del calcio. El sol es un elemento fundamental para la vida del planeta y es generador de vida.

▶ El **cuidado** de nuestro cuerpo

Hacernos cargo de nuestro cuerpo no siempre es tarea fácil. Aceptarlo, mimarlo, cuidarlo y mantenerlo sano y vital lleva su tiempo.

Las actividades como la meditación, el yoga, las técnicas de estiramiento muscular y la relajación son excelentes para desbloquear las energías del cuerpo que permanecen contenidas. Cualquiera de estas actividades producirá una mejora notable en la salud y el bienestar general del cuerpo y del espíritu.

Nos ayudarán a mantener el cuerpo en una postura correcta y a estirar los músculos y tendones, proporcionando más flexibilidad a nuestros movimientos. Aprenderemos a ser conscientes del cuerpo y sus movimientos, de las zonas bloqueadas y sobrecargadas, mejorando así el buen funcionamiento del organismo y mejorando nuestra salud.

Si además practicamos ejercicios de relajación o meditación aprenderemos a calmar la mente y con ella los pensamientos negativos que nos agobian. La meditación nos enseña a tranquilizarnos, a estar en calma emocional y espiritual. Liberando al cuerpo de las ataduras mentales, nos sentiremos más libres, más sanos y más completos.

▶ Desarrollar la **creatividad**

Si nuestro trabajo es monótono y rutinario se recomienda realizar actividades que desarrollen nuestra creatividad, en las que podamos dejar volar la imaginación.

Tomar clases de pintura, de cerámica, leer, escribir, bailar o tejer pueden ser buenas opciones para liberar la mente de rutinas y responsabilidades. Este tipo de actividades son sanas y nos permiten expresar sentimientos internos, liberar preocupaciones, miedos o ansiedades. Las actividades que nos permiten desarrollar la creatividad son buenas para liberar la mente y el espíritu.

El trabajo y las actividades cotidianas deben alternarse con buenas horas de descanso. No olvidemos que el cuerpo rejuvenece y se recupera durmiendo.

El cansancio es uno de los principales síntomas de la enfermedad. Caer enfermos puede ser una llamada del cuerpo para que nos dediquemos a descansar y recuperar energías.

▶ La **alimentación**

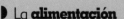

Para mantener un estado saludable, la alimentación cumple un papel fundamental.

Se recomiendan, en primer lugar, los alimentos que aportan vitaminas y sustancias antioxidantes como las frutas, los cereales integrales, los frutos secos y las verduras. Este tipo de alimentos aportan sustancias que ayudan a que el cuerpo se autorregule y nos mantienen en nuestro peso. Consumir los alimentos crudos –frutas y verduras– es muy recomendable porque mantienen la vitalidad de la naturaleza.

Índice temático